おいしいベランダ。
亜潟家のアラカルト

竹岡葉月

富士見L文庫

レシピページ・イラスト　おかざきおか

contents

ご無沙汰してました。これ、うちで収穫した野菜。二人ともまあまあ元気です。

一章　まもり、思い出ハネムーンと二つのケーキ。

「どーこーだー……」

まもりは先ほどから廊下に面した納戸にもぐりこみ、季節物の扇風機やらストックの洗剤やらをかきわけつつ、探し物を続けていた。

「おっかしいな……こんな奥にしまったっけな……ああ、あったこれだ。よいしょ！」

適当に積み上げてしまったストック類や、場所をふさぐ脚立や家電をどけると、ようやく目当ての品を発見した。それなりの大きさなので、引っ張り出したとたんに他の荷物が雪崩を打って倒れたが、今は見ないことにした。

（良かった、これがないと始まらないもんね）

わざわざ金曜の夜に、髪を振り乱して探していたのは、旅行用のスーツケースである。

年末年始を葉二《ようじ》の実家で過ごすことになったので、今のうちに装備を点検しておこうと思ったのだ。まさかこんなに物という物をどかしての、大捜索作業になってしまうとは思わなかったが。

　ダイヤル式の立派なロックを見て、一抹の不安がこみ上げてきた。

「……あ、暗証番号忘れてないよね」

　こういうのは、早めに確認しておくに限る。確か番号は結婚記念日。

　寝室に持っていき、三から始まる数字をカチカチ揃《そろ》えると、ちゃんと解錠できた。まもりはほっとした。

　その場でスーツケースを大きく広げ、内側のベルトやポケットの中身も確認する。

（ん？）

　一番深いポケットの奥に、何か変なものが入っているような。

　いぶかしく思ってさらに手を突っ込むと、出てきたのは赤と緑と黄色のカラフルなパッケージに入った、石鹸《せっけん》である。思わず「あー！」と声が出た。

　なんと。二年前の新婚旅行で買ったお土産ではないか。

「信じらんない……ずっと入れっぱなしだったってこと……？」

「何を一人で大騒ぎしてるんだよ、まもり」

　背後でドアが開き、夫の葉二が顔を出した。

「納戸の中が、どえらいことになってたぞ」

「あ、葉二さん。もうテレワーク終わりました？」

「見りゃわかるだろ」

「わかりませんよ、在宅勤務でジャージ眼鏡じゃ。お客さんと会議する時以外も、スーツ着ててくださいよ」

「フリーの頃と同じだと思えばいいだろうが」

まもりの旦那様は、少々口が悪くてそっけないのである。これでも小所帯ながら、デザイン事務所の経営者のはずなのだが。

先月末の誕生日で、お互い二十五歳と三十六歳になった。数字の上ではけっこうな年の差夫婦ではあるが、葉二は男性的に整った顔立ちに渋みが加わってきて、いい年の取り方をしているのではないかと思う。

他方で自分の大福顔はさして変わらず、変わったのは髪の長さぐらいかもしれないが、まあそれは横に置いておこう。

まもりは床に正座したまま言った。

「さっきお義母《かあ》さんとスマホでやりとりしてて、思ったんですよ。年末はつくばのお宅に行くでしょう？　今のうちにスーツケースとか出しておこうと思って」

「それで家ん中で地震を起こしたのかよ」

「ちゃんと元に戻しますからご心配なく。それより見て葉二さん！　シンガポールで買ったアーユルヴェーダ石鹸、ずっとスーツケースに入ったままだったみたい」

まもりはパッケージの蓋を開け、ビニールに入った楕円《だえん》の石鹸を取り出した。

「……ああ、日本よりずっと安いとか言われて、リトル・インディアのムスタファ・センターで買いあさってたやつか……」

「タイムカプセル開けた気分ですよ。全然遠出しませんでしたもんね」

葉二と二人で行った新婚旅行先は、常夏の熱気と熱帯植物の国だった。年間を通して、シンガポールの最高気温は三十度でほぼ一定。近代的な高層ビルがそびえる一方、国際色豊かな建物がエリアごとに建ち並び、カラフルでエネルギッシュなおもちゃ箱にいるような国だった。

今思い出しても、一つ一つにうっとりしてしまう。

「いいとこだったなあ、シンガポール。中華っぽかったりイギリスっぽかったり、色んな国の文化が多国籍ちゃんぽんな感じで……どこのご飯もおいしかった……」

「まあド忘れしてたのが、食品じゃなくて良かったよな。生もの二年放置だったら、今頃目も当てられねえことになってたぞ、そのスーツケース」

「それはそうなんですけどね……あんまり具体的に言わないで……」

「とりあえずまもり、石鹼は置いといてベランダつきあってくれないか？　夕飯用にゴボウ収穫しちまおうと思うんだが」

「あ、はーい」

まもりは、返事だけは軽快に立ち上がった。

色々物が出っぱなしの室内から、ベランダへ向かう。

東京《とうきよう》の大学を卒業し、婚姻届提出と同時にこの神戸《こうべ》の街に越してきた。一緒に就活も進める必要があったため、大勢の人に『チャレンジャーだ普通やらない』と言われた選択であるが、今のところ後悔はない。

今日も六甲《ろっこう》の坂の途中にある賃貸マンションでは、亜潟《あがた》葉二の趣味と実益をかねたベランダ菜園が展開中であった。

（食えるものしか育てる気はないってね）

これは葉二の昔からのポリシーだ。

それなりに冷え込む十二月になっても、リビングに面した南向きのベランダは寒冷紗《かんれいしゃ》や発泡スチロールで温度を保ちつつ、食べられる品種がいくつも葉を茂らせていた。食用の例外は、まもりが練馬《ねりま》から持ってきた薔薇《ばら》のマロングらいだろう。

「これ、暗いからつけとけ。ヘッドライト」

「あらためて思いますけど、ベランダでゴボウが育つって不思議ですよね……」

葉二から手渡された照明を頭に取り付けながら、まもりは今さらな感想を漏らした。

「俺が植えたのは、ミニゴボウだって言っただろ」

「どうしたってスーパーの、長い根っこのゴボウをイメージしちゃいますよ。あんなのプランターに収まらないじゃないですか」

いわくゴボウには、根が一メートル近くまで伸びる長根種と、三、四十センチ以内におさまる短根種の二種類があるらしい。今回葉二が植えたのは、コンパクトに育つ後者だという話だ。

それでも普通の鉢では心許《こころもと》なかったので、深さが三十センチほどの紙製鉢を二つ重ね、片方の底を抜いて土の量をかさ増しするという荒技に出ていた。やったのはもちろん葉二である。

現在二段重ねの鉢からは、三、四十センチほどの長さに育った株が四つも伸び、丸みを帯びた葉も盛大に茂ってベランダの作付け面積を圧迫していた。

「葉がちょっと黄色くなり始めて、根元が一・五センチから二センチぐらいに太ったら収穫しどきなんだと」

「つまり今なんですね」

「そう。まず引っこ抜くのに邪魔な葉を刈り取るぞ」

葉二は言いながら、軍手をはめた大きな手でゴボウの茎を束ねてつかみ、ハサミで露出していた部分を切ってしまった。びっくりするほどためらいがない。

「せっかくわさわさに育ったのに、上の葉は食べられないんですか」

「関西圏だと葉ごぼうはそこそこメジャーらしいが、ここまで育ったのを食うのは博打《ばくち》だぞ。もっと若いうちに間引きしたやつを、あく抜きして食うのはアリだけどな」

「遅かった！」

「まあ俺らの目的は、普通に根を食うことだから」

葉二に笑われた。

「葉を除《の》けたら、鉢ごとビニール袋に入れる。まもり、手伝ってくれないか」

「あ、はいはい袋を開けときますね」

用意してあった四十五リットルのゴミ袋を開き、そこに葉二が鉢を丸ごと入れた。

「ここの中で収穫すれば、ベランダが汚れなくていいだろ」

「なるほどアタマ良い」

「というわけで、まずは二段重ねの鉢の、上の方を外すと」

上段の鉢は底が抜けている上に紙製なので、手とハサミを使えば簡単に解体することができた。そのまま露出した土を、ゴボウ本体に向けて横から掘り進んでいく形のようだ。

「地植えだと、この畝作りと穴掘りから始めるわけだよ。長根種だと全長一メートル」

「想像するだけで腰が死ぬ……」

「だいたい土が取り除けたら、次は上から引っこ抜くわけだ。こうやって」

「しゅぽんと」

葉二が鉢から引き抜いたミニゴボウは、全長三十センチほどの細くて真《ま》っ直《す》ぐな根をしていた。

「はは、可愛《かわい》いゴボウちゃんだ！」

「残り三本も抜いちまうな」

収穫作業は続き、土をはたいて落とした四本のミニゴボウを、あらためてキッチンへ持っていった。

「で、このゴボウをどうするんですか」

「そうだな。メインはもう決まってるから、付け合わせのサラダにでもするつもりだ。とりあえず一本だけでも洗っといてくれないか」

「はーい。皮はむかなくてＯＫ？」

「こする程度でいいだろ。大してあくもねえしな」

「ラジャーであります」

周りの汚れと皮をたわしで落とせば、ゴボウ本体はそれはそれは真っ白で繊細な美肌の持ち主であった。

葉二がピーラーを手に、薄くゴボウの身を削《そ》いでいく。

「こんな感じで、残りもやっといてくれ。終わったら熱湯で軽く湯通しするところまで」

「はいはい」

相変わらず、作業では周りを徹底的に巻き込む男であった。まもりはピーラーを受け取り、湯通し用の鍋を火に掛け、しゃーしゃーとゴボウを削り続けた。

「……葉二さんは、何をやってるんですか」

「俺はドレッシング作りだよ。オリーブオイルと酢と塩、あとは粒マスタードとはちみつ入れて混ぜる」

「ハニーマスタードですね。わたしあれ大好き」

「ゴボウ茹《ゆ》だったか？」

「今お鍋に入れるとこです！」

沸騰したお湯に、リボン状に削いだゴボウを投下する。『軽く』とのことなので、すぐにザルに移した。

「あちち」

呟《つぶや》きながら、両手でぎゅうっと水分を絞る。

「こいつをボウルのドレッシングと和《あ》えたら、獲《と》れたてゴボウのハニーマスタードサラダができあがりだ」

おお。いったんは団子状になったゴボウがほぐれてくると、なかなか惣菜屋《デリ》っぽくていい感じではないか。

「でもこれ、メインじゃなくて付け合わせなんですよね」

「そうだとも。今夜のメインディッシュは——これだ！　一時間前から室温に置いてあるステーキ用牛モモ肉！」

「いえー！　お牛様ー！」

こういう小芝居も、日常には大事だと思うのだ。

葉二がカウンターのステンレス製バットをうやうやしく手に取るので、まもりも勢いテンションが上がる。和牛ではなくお徳用のオージービーフで、昨日葉二が買ってきたのも知っているが、肉の塊というのはなんにしろ特別感があるものだ。

綺麗《きれい》な赤身の表面に塩とコショウを振ってから、中火に熱したフライパンにそっとステーキ肉を投下した。

「これこれ。このジュワーって音が、わくわくしますよね。だんだんいい匂いもしてきて」

「まもり。今からベランダ行って、クレソン収穫してきてくれるか」

「え」

「こいつに添える用」

肉の焼き加減から目をそらさず、真剣な口調で言われた。個人的にはもう少し焼ける様を一緒に見守りたい気持ちはあったが、それは許されないようだ。

仕方ない。再びベランダへ取って返した。

クレソン――以前はスターバックス・コーヒーのフラペチーノ用プラコップで、ちまちま室内栽培をしていたこともある葉野菜だが、最近はベランダで盛大に育てている。

水を好む性質は一緒なので、プランターの代わりに食器用の水切り籠を使い、そこにパーライトを詰めたお茶用パックを敷き詰め、底に水を張って根を張らせている感じである。

隙あらば脇芽を伸ばそうとする若い枝葉を収穫し、キッチンに戻ってくる。

フライパンのステーキは、表裏ともに焼き目をつけた後、合わせ調味料を投入する段階に入っていた。

「お醬油《しょうゆ》っぽい香りがする。和風ですか？」

「いいカンしてるな。醤油とみりんと酒を入れたところだ」

「やっぱり」

「このへんで肉はいったん引き上げるとして――まもり、クレソンを洗ったら、丼に飯盛ってくれるか」

「はーい」

焼いたステーキ二枚がまな板に移され、フライパンに残った合わせ調味料は、ひとかけらのバターとともに、さらにぐつぐつと煮詰められていった。醤油バターの香ばしくもコクのある匂いが、一気にキッチン全体へ広まって、いやがおうにもお腹《なか》が鳴る。

まもりはその間に炊飯器の蓋を開け、炊きたてのご飯を丼に入れた。

「飯にこのソースをちょっとかけて」

「クレソンを千切って盛って」

「カットしたステーキをオン」

「追いソースとごまをパラパラ」

さあできた！　素敵な和風ステーキ丼だ。

これにお味噌汁《みそしる》と、小鉢のゴボウサラダがついて、ウィークエンドのお家《うち》ご飯ができあがりなのである。

さっそくヘッドライトとエプロンを置いて、ダイニングテーブルにていただくことにした。

「さて、飯だ飯だ」

「今週もよく働いたー。ビールつけちゃおう」

「おまえ言うことが、だんだんおっさん臭くなってねえか」

「いいじゃないですか別に。一杯だけだし」

缶のプルトップを立てながら、まもりは反論する。日頃男女の区別なく働いているのだから、週末ぐらい自分をねぎらってもいいだろう。自分の裁量で在宅勤務を増やした葉二と違い、まもりは出勤の方がずっと多いのである。

「ご飯だってもりもり食べますよ。いただきまーす」

エビスの一口目を軽く堪能《たんのう》してから、箸を手に取ってメインの丼物へGOだ。

「どうだ？　焼き加減とか」

まもりは、黙って『グッジョブ』と親指をたてた。

「……牛の、肉の、塊は！　無条件で幸せになるお味ですから！　焼き加減も固くなくていい感じ！」

中心部だけほんのり赤い、ミディアムレア。これは葉二の腕がいいのだろう。まもり好みの焼き方だ。肉汁と一緒に煮詰めたバター醬油ソースとの馴染《なじ》みもよく、白いご飯にぴったり合うのである。

「お米の国に生まれて良かったー」

「紫蘇《しそ》やレタスがねえからクレソンにしたが、これでも別に問題ないな」

「いえいえむしろクレソン万歳ですよ葉二さん」

このぴりっと辛みのある葉と一緒に食べるおかげで、口の中がさっぱり引き締まるのだ。ローストビーフやハンバーグの時にもお出ましを願うが、牛肉のポテンシャルと旨《うま》みを引き立てる名脇役がクレソンなのである。

冬でも冴《さ》えた葉の緑も、彩りとして目に嬉《うれ》しい。

「あとは……今日収穫したミニゴボウちゃんのサラダですね」

まもりがピーラーで薄く削り、葉二が作ったハニーマスタードドレッシングで和えたゴボウは、小鉢にこんもりと高く盛り付けてある。

――ドレッシングは甘酸っぱく、噛《か》みしめたゴボウはしゃきしゃきと香り高い――。

「うわ……なんてリッチでエレガント……」

思わず口をおさえて呟いていた。

「どういう感想だよ」

「あくや臭みは全然なし。で、後からゴボウの香りだけがふわーっと薫るんですよ。めっちゃくちゃお上品！　ゴボウなのに！」

確かにこれは、日頃のゴボウとは一線を画すものだ。わざわざ鉢の二段重ねまでして、それなりに手間暇かけて育ててきたが、それだけの価値はあるかもしれない。

「あー、おいし。あー、幸せ」

「焦って食うなよ。腹壊すからな」


――そして、もっともっと夜も更けて。


「……ん？」

寝室にて夫婦らしく『仲良く』しようとしていたわけだが。

まもりの上にいる葉二が、何やら違和感を覚えたようで首をひねった。

「……どうかしました？」

「おまえ、匂いがいつもと違うような……」

「ちょっとちょっと葉二さん」

真偽を確かめるため、こちらの首筋近くに顔を近づけて、まるで警察犬のように匂いを嗅ぎ出すので、くすぐったくて笑ってしまった。

「たぶんお風呂の石鹸《せっけん》変えたからですよ。せっかくだからあの石鹸使ってみたんです」

「何が入ってるんだ？　お香みたいな香りがする……」

「サンダルウッド。白檀《びゃくだん》のオイルで作った石鹸だから、お香であってるかもしれないですね」

「なるほど……」

「嫌い？」

小さく聞いてみた。

「いや──これはこれでいい。俺は好きだ」

「ちなみにお肌しっとり、超すべすべになりました」

「これから堪能させてもらうわ」

もうちょっといい言い方ができないだろうか、この人。

それでもスキンシップに支障があるわけではなく、その日は沢山触れ合ってから、南国を思わせる香りに包まれて眠りについたのである。

——あの頃の夢を見たのは、きっとそのせいなのだ——。

＊＊＊

いつもと違う場所で寝ると、なんとなく眠りが浅い気がする。

まもりが目が覚めて最初にしたことは、隣にいるはずの葉二を確認することだった。

日頃使っているものより大きなサイズの高級ベッドは、片側がもぬけの空で、続きのリビングのドアも開いている。

(葉二さん……？　もう起きたの？)

まもりも昨晩適当に脱ぎ散らかした服を着込むと、ベッドを離れて窓辺に立った。

「はー……すご」

思わずため息が漏れる。一発で目が覚めた。

大きな硝子《がらす》窓の向こうは、別世界というか異世界の光景が広がっていた。

ここはシンガポール、マリーナベイ・サンズ・ホテルのスイートルームだ。

近くの植物園が見えるガーデンビューを選んだので、一面の緑と大木型のオブジェが林立する絶景が、眼下一面に広がって見える。その向こうは沢山の商船が行き交う港と海で、シンガポールが観光と交易の拠点であることを思い出させる景色であった。

結婚式の翌日から、関空発の飛行機に乗り、ただいまハネムーンの真っ最中なのだ。

夜のショーにベイサイドのクルーズ、プール遊びにサファリパーク観光と、今のところ全力で遊び倒させてもらっていた。

「そんないつまでも見てても、何も変わらねえぞ」

振り返れば、すでに身支度を終えたらしい葉二が、湯気のたつカップ片手に立っていた。

「……いやあ、異国にいるんだなあと思って」

「喉渇いてないか？　紅茶淹《い》れたとこなんだが」

「あっ、飲みます飲みます」

お言葉に甘え、続きのリビングでいただくことにした。こちらも神戸《こうべ》の狭いマンションなど、比べるべくもない広さと調度を誇っている。

常夏の国はどこに行っても冷房ガンガンで、屋外の熱気をしのげるのはありがたいが、そのぶん乾燥するのだけが難点なのだ。

「ほら、こぼすなよ」

「ありがとうございます……」

ソファに腰掛けると、葉二がティーカップを差し出す。その時点でふんわりと甘く、華やかな香りが鼻孔をくすぐった。

「葉二さん、この紅茶めちゃくちゃおいしい……」

「そうか？ 備え付けのティーバッグだぞ。TWGって書いてあった」

「あ、知ってる。こっちの有名なお茶屋さんだ。もう絶対お土産に買おう。決めた……」

「じゃ、今日は買い物ツアーにするか」

予定が立って良かったとばかりに、葉二はうなずいている。

ここ数日の葉二を、一言で言うなら――。

「……なんか葉二さん、優しすぎて気持ち悪い……」

「は？」

「だってマーライオン見るのも動物園行くのも、わたしが行きたいって言ったらすぐ連れていってくれたし、朝からお茶淹れて買い物つきあってくれるとか……そんなの全然なかったのに」

「まるで人を人でなしみたいに言うな」

「これって今だけの特別？」

結婚式のサプライズでくれた、泣きたくなるような言葉を、忘れたわけではない。

まもりは優しい人だと返したけれど、ここまで直接的な献身は想定していなかったのだ。

どういう心境なのかと思ってしまう。

葉二は整った顔をしかめ、まもりの追及から目をそらした。

「そりゃまあ、先のことはともかく、旅行の時ぐらいはまもりを好きなだけ甘やかすって決めてたからな……」

——甘やかす、とは。

こちらがコメントに困っていると、彼はわざわざ向き直って説明を始めた。

「いや別に、面倒とかそういう話じゃないんだ。むしろ俺的には褒美とかボーナスタイムに近いというか」

「ボーナス」

「いいもんだぞ。とにかくかまい倒して猫かわいがりして、あげくにいいことした気になれる。人間にするもんじゃないのは重々承知だけどな」

「ありがと。葉二さんのそういうとこ大好き」

まもりは微笑《ほほえ》んだ。そっけないのも自制のうちなのだ。

これも彼にとっては、報酬として加算されるのだろうか。少し照れたようにはにかむのがわかったから、金色のコインが貯金箱に入ったのだろうなと思った。

おかげでこちらも遠慮なく、ご褒美の時間を楽しめそうだ。

まもりが気に入ったTWGティーのサロンはオーチャードにあるようで、ベイサイドのホテルから地下鉄に乗って買い物にでかけることにした。

オーチャードは、日本で言うなら東京の銀座《ぎんざ》にあたるようだ。国をあげてのポイ捨て厳禁、公共エリアは全て禁煙と、厳格に定められた法律のもと、美しく整備された並木の大通り沿いに、最新のショッピングモールや一流ブランドの店舗がずらりと建ち並んでいる。シンガポール随一のお買い物エリアとして賑《にぎ》わっていた。

「まもり。まだか」

「んー、悩む……」

「もういい。好きなだけ悩め」

「わかった悩む……」

ホテルで飲んだ銘柄以外にも、店には素敵な紅茶が沢山あって、まもりは毛が抜けそうな勢いで検討を重ね、自分用と会社用に購入した。

駅直結の巨大モールを出ても、個性的なショッピングビルがあちこちにあって目移りしてしまう。

隣を歩く葉二は、なぜか上の方ばかり見ていた。

「……なんつーか、地震と台風のリスクを考えてねえ国は、いちいち構造物がとんがってすげえよな」

「ムーンケーキ・フェスティバル……？」

ビルのデザインに気を取られていた葉二が、こちらを向いた。まもりはそれよりも、気になるものを見つけてしまったのだ。

「いえ……なんだかさっきから、似たような文句があっちこっちで目につくんですよ。ここにもあるから、なんなのかなって」

日系百貨店の高島屋が入ったビルが、すぐ目の前にある。地下の催事場で、何やらムーンケーキにまつわるイベントが行われているらしい。

葉二もすぐにはわからなかったらしく、スマホを取り出し、その場で調べはじめた。

「流行のお菓子なんですかね」

「……ああ、違うわまもり。ムーンケーキってのは、月餅のことだわ」

「月餅？」

あの、中華街でよく売っている、丸くて餡子《あんこ》たっぷりのお饅頭《まんじゅう》か？

葉二はスマホを鞄《かばん》にしまい直した。

「今って九月だろ。ちょうど旧暦八月の中秋節にあたるから、こっちは祭時なんだよ」

「中秋……というと十五夜お月様の？」

「そうそれ。日本でも月見団子だ月見バーガーだって、月にちなんだ祝い事をしたりもするが、本場はやっぱ中国だろ。シンガポールは中華系の人間が多いし、春節なみに盛り上がる人も多いんだろうな」

このお祝いに欠かせないのが、月見団子ならぬ月餅で、満月に見立てた月餅を家族で切り分け、五穀豊穣《ごこくほうじょう》と家族の安寧を月に祈るのだという。

「その中秋節関連のイベントが、そこで行われてるわけですか……」

「百聞は一見にしかず。見に行きゃ早いだろ」

そんな気軽な提案のもと、ほいほいと高島屋のエスカレーターに乗ってしまったわけである。


——で、やって来ましたイベント広場。

吹き抜けの大きな催事会場は、数十社のメーカーが出店し、彼らがしのぎを削ってオリジナル月餅を売り出す、月餅による月餅のための月餅売り場になっていた。

「……これ全部月餅か」

「わたし知ってる……この景色……呼び込みの人……デパ地下……高島屋のバレンタインフェア……」

おかしいわ。どうしてこんなにデジャヴを覚えるの。今は九月で、場所はシンガポールのはずなのに。

「商魂逞《たくま》しいのは、どこも一緒ってことだな」

「あ、葉二さん見て。シャンパンとライチ味の月餅だって。超可愛《かわい》い」

思わず足を止めた月餅は、餅粉を練って焼かずに作った、スノースキンと呼ばれる冷たい月餅だった。

パステルカラーに色づけた生地に、趣向を凝らした型押しの装飾が、非常に繊細で美しい。ライチ以外のバリエーションも、震えがくるほどの可憐《かれん》さだったが、残念ながらあまり日持ちがしないとのこと。後でホテルで食べる用に少量購入し、日本に持ち帰る用にはまた別の月餅を買うことにした。

焼いたタイプも濃厚なごま餡にあっさりした蓮《はす》の実餡、塩味の卵入りとバラエティに富んでいる。こちらでは小豆の餡よりも、それ以外を材料にした餡子の方がメジャーなようだ。

本当に見ているだけで目移りしてしまって、小さいのにメーカーごとのこだわりもあり、こういうところもバレンタインのチョコ選びによく似ている。

「日系デパートでこれだけ盛り上がるってことは、チャイナタウンなんて行ったらもっとすごいのでは？」

確かシンガポールには、中華系の店や人が集まる中華街があったはず。

「──わかった。行くぞ」

今の葉二はボーナスタイム。まもりの提案は、即座に採用されたのだった。

後で知ったことだが、中秋節は英語に訳せばミッド・オータム・フェスティバルであり、別名ムーンケーキ・フェスティバルの他に、ランタン・フェスティバルとも呼ばれるらしい。

オーチャード駅から地下鉄を乗り継いで、チャイナタウン駅にやってきて。

いざ地上に出たまもりたちを迎えてくれたのは、赤と黄色のチャイナカラーと漢字の看板が目立つ町並みと、大量の灯籠《ランタン》だった。

「うわあお……」

圧巻だ。

見上げてもランタン、お店の軒先を見てもランタン、まるで青森《あおもり》のねぷた祭のような、大きな張りぼてタイプのランタンも、通りの要所要所に飾ってある。

月には嫦娥《じょうが》や兎《うさぎ》がいるという故事にならって、天女やウサギをモチーフにしている作品も多く、やはり中秋節を意識した装飾なのだろう。自宅で飾る用の小さなランタンを、お土産に売っている店もある。

「これは……来る時間帯を完全に間違えましたね、葉二さん……」

通りを歩きながら、まもりは少々後悔してしまった。これだけのランタンに明かりが灯《とも》る、夕方以降ならさぞかし雰囲気たっぷりだったに違いない。

「ま、時間はまだあるし。後で出直してもいいだろ」

「──葉二さん、優しい」

「気味悪いって言いたいんだろ」

「言わない」

ただ嬉《うれ》しかっただけだ。貯金箱にコインを入れる気持ちで、こっそり傍らにある大きな手を握り返した。

二人でそぞろ歩いているうちにお腹《なか》が減ってきたので、近くのホーカーズでお昼にすることにした。

　ホーカーズとは、いわゆる屋台村のことだ。かつて路上に集まっていた屋台を、衛生面や景観への配慮で禁止する代わりに、衛生基準を定めた常設施設に集めたことが始まりらしい。今ではこの国のあちこちにある。

　一般的なレストランよりも気取っておらず価格も安く、外食文化のシンガポールでは三食ここですます人もいるようだ。

　利用方法は、日本のフードコートとあまり変わらない。まず空いた席を確保してから、お店の方に注文をしに行く。今回は二人いるので、一人が荷物番をしながらかわりばんこに好きな店で好きな食べ物を確保することにした。

「──で、まもりは何を頼んだんだ。焼きそばか？」

　注文の品を持って円卓状の席についたら、葉二に聞かれた。

「えー、確かフライド・ホッケン・ミーとか言ってたような」

「なんでそんなあやふやなんだよ」

「なんか行列できてておいしそうだったんですよ。雑誌の切り抜きとかいっぱい貼ってあって、有名なとこっぽくて」

「俗っぽいにもほどがあるな」

「――あ、大丈夫です葉二さん。ちゃんとおいしいです」

試しにずるずると食べてみて、選択が間違っていなかったと確信する。

どことなく長崎《ながさき》のちゃんぽんを思わせる太麺と優しい味付けで、海老《えび》やもやしや豚肉と一緒に炒《いた》め合わせてある。日本の塩焼きそばに比べて、スープたっぷりで汁だく気味なところも面白い。

添えられたサンバルソースなる真っ赤なペーストを使うと、海老の風味が濃くなって二度おいしい仕組みになっていた。

「葉二さんは……またチキンライスですか。何回目ですか」

「店によって味が微妙に違うから面白いんだよ」

大真面目に反論されたが、本当によく飽きないなと思う。

チキンライスと言っても、日本で食べるケチャップ味のあのチキンライスとはだいぶ違う。茹《ゆ》でた鶏肉《とりにく》から出た出汁《だし》で米を炊き、その米と茹で鶏をジンジャーソースやチリソース、甘い黒醤油《しょうゆ》などと一緒に食べるのがシンガポール式のチキンライス、海南鶏飯《かいなんけいはん》だ。

葉二はこっちに来てからチキンライスに大はまりし、行く先々のレストランやホーカーズでチキンライスを注文し続けているのである。

「日本のレシピを漁《あさ》ると、たいてい炊飯器に鶏肉を突っ込んで、米と一緒に炊くやつばっかり出てくるんだけどな。本当は大鍋に丸鶏をまんま入れて茹でるのな」

「で、鶏は引き上げて、取れた出汁だけで米を炊くんだよ。鶏は冷ましてから後のせするから、火が入りすぎてパサつくなんてこともない。ものすごく理にかなってる」

「……はあ」

「さようでございますか……」

「ちなみに冷ますのにもやり方があってな、伝統的な海南人が開発したチキンライスは茹でた丸鶏を吊《つる》して自然に冷ますが、ここで新たに提唱されたのが広東《カントン》式だ。これは茹でた後に鶏を冷水につけて、急速冷却する。この過程で皮の下のゼラチン質が固まって、肉がつるんとした舌触りになるんだ。しっとり柔らかい海南式、つるんとなめらかな広東式、どちらも常に研鑽《けんさん》を怠らず、互いにバージョンアップを重ねることでシンガポール・チキンライス全体の高いレベルが保たれているわけだ」

どうしよう、生来の凝り性が炸裂《さくれつ》してしまっている。

「……うち、そんなに大きなお鍋とかないですよ。丸鶏茹でて家でも作ろうとか、言わないでくださいよ」

控えめに釘《くぎ》を刺したら、葉二は妙に傷ついたような顔をした。

「サイズを選べばいけたりしないか?」

「無理です無理です。何人前作る気ですか」

「おいまもり」

まもりは強引に話を打ち切って立ち上がった。

巨大な植木鉢や、果樹の苗を欲しがる時と一緒だ。ここは譲ってはいけない。

「どこ行くんだ？」

「なんか甘いデザート貰《もら》ってきます」

ホーカーズは、店ごとに色々なジャンルの料理を売っているので、飲み物やスイーツも専門の店で注文してくればいいのである。

――さてどうしよう。まもりはあらためて考えた。

あちらにあるのは、かき氷にレインボーカラーのシロップをかけた、アイスカチャン屋。トッピングは好きに選べるようになっている。同じ氷菓子でも、ブラウンシュガーとココナッツミルクのかき氷に、緑色のパンダン・ゼリーを添えたものはチェンドルと言うらしい。

温かいものが欲しかったら、焼き菓子のエッグタルトだろうか。パリパリの皮に、濃厚なカスタードのハーモニー。売っている店はあったが、生憎《あいにく》とけっこうな数の人が並んでしまっている。

なかなか決め手に欠ける中、ふとまもりの目にとまったのは、とある中国語の看板に添えられた『キャロットケーキ』という語だった。

ムーンケーキは月餅だし、人参《にんじん》が入ったオレンジ色の可愛いケーキか何かだろうか。パイナップルケーキの人参版みたいな。

（——ま、いいか）

値段はお手頃。その店は今のところ誰も並んでいないし、面白そうだからここにしようと思った。

「は、はろー」

まもりは、カウンター越しに話しかけた。

「ワン、キャロットケーキプリーズ。スモールちっちゃいサイズ。イートヒアー。イートヒアー。ここで食べます」

だいぶ怪しい英語だろうが気にするものか。

基本的に、シンガポールの公用語は英語だ。しかし、現地の人が話すのはシングリッシュと呼ばれるシンガポール風の英語で、対応する店員の言葉はかなり早口で癖があった。

まもりはわからない部分もノリで返事をし、できあがりを待つ間はいかにして葉二の丸鶏チキンライス願望を阻止するか考えていた。

お店の人が鉄板で何やら炒め始め、チリソースを使うか聞いてきたあたりで、さすがに変だぞと思ったのだ。しかしそこまできて、「やっぱりいらないです」と言う度胸などなかった。できあがってしまった『キャロットケーキ』を受け取り、料金を払って葉二のところに戻ったのである。

「……どうしたまもり。えらい微妙な面《つら》して」

こちらの顔を見るなり、葉二に聞かれた。

「なんていうかその……」

「……デザート調達しに行ったんだよな?」

今度は、手に持つ皿を見て言われた。

「おかしいんですよ。わたしが注文したの、キャロットケーキなんですよ」

「で、これが出てきたと」

「はい」

熱々の鉄板を前に、店員さんはお好み焼き屋のおっちゃんよろしく、金属製のフライ返しをカチカチ鳴らしていた。そこから細かく切った白いスライム状の何かが炒めつけられ、さらには溶き卵によってスクランブルエッグ風にまとめられてしまった何か。まもりが受け取ったものは、そうとしか説明しようがない。

皿の端にはケチャップの代わりに赤いチリソースが添えられ、刻みネギも載ってしまっている。

「ケーキ……には見えないですよね。どう見ても」

「ちょっと待て。調べてやるから。キャロットケーキって書いてあったんだよな」

葉二は皿とスマホを見比べながら、検索を始めた。

結果はすぐに出たようだった。

「あー……」

「ど、どんな感じでしょう」

今度は葉二が眉間をおさえて微妙な顔つきになったので、まもりは戦々恐々とした思いで訊《たず》ねた。

「……簡単に言うとな、まもり。シンガポールのキャロットケーキは、菓子じゃない。大根餅と、チャイポーっていう大根の漬物と、卵を炒めたもんだ」

「はあ？」

なんだそれは。

「人参が全然出てこないじゃないですか」

「それがややこしいんだが、広東語だと白大根のことをホワイト・キャロットって呼んだりもするらしいんだ。月餅がムーンケーキなら、大根餅がキャロットケーキになっても理屈上はおかしくないだろ」

「心が納得したくない!」

「でも事実そうなっている」

「ううう……」

まもりはうなだれた。

葉二が、しょうがない奴めとばかりに嘆息する。

「だいたい品書きの写真見りゃ、できあがりが菓子じゃなさそうなことぐらいわかるだろ」

「先入観ってもんがあるじゃないですかあ」

自分で言っていて、情けなくなってきた。ようするに、まもりの注意不足に他ならないのである。

「味付けが黒醬油味のブラック・キャロットケーキと、塩味のホワイト・キャロットケーキの二種類があるらしい。たぶんおまえが頼んだのは、白の方だな。で、どうすんだまもり。また新しく注文し直すのか？」

「……いいです。もったいないし食べます」

「食うのか」

こくりとうなずき、スプーンを握る。まだ焼きたてでほかほかしているし、一口も食べないのは忍びない。

鉄板で炒められていた時は、ダイス状に刻まれた白い何かとしか思えなかったが、どうやら大根餅だったらしい。一度だけ日本にある点心の店で大根餅を食べたことがあるが、あれは本当に四角いお餅の形をしていて、こんな風に卵で綴《と》じた炒め物にはなっていなかった。

かなり覚悟をして口に入れるが――。

「ん」

「大丈夫か？」

「――あ、すごいこれ。すっごいおいしい！」

嬉《うれ》しい驚きだ。

口にあたる大根餅はほんのり甘い大根の風味を残しつつ、もっちり柔らか。嚙《か》むとすっとろける感触が癖になりそうだ。そんなお餅と卵の優しいコンビネーションに、時たまぽりぽりとした食感が加わるのは、葉二が言っていたチャイポーなるお漬物が、みじん切りで入っているおかげかもしれない。

白いキャロットケーキ自体はかなり淡泊な味付けだが、辛みのあるチリも付いてくるので、物足りなさはまったくなかった。

日本にありそうでない、新鮮な味と食感である。

「まあ良かったな。気に入ったのならよ」

「いやほんとおいしいです。葉二さんも食べてみて。ほらあーん」

「俺は別にいいって」

「そんなチキンライスに操をたてなくても」

「たててねえ」

ショッピングセンター二階の、地元の人に囲まれたホーカーズで。

思い出してもそれは、ハプニングと出会いに満ちた、シンガポールの旅の一場面だったのである。

＊＊＊

まもりがベッドの中で薄目を開けると、もはやすっかり見慣れた天井がそこにあった。

なんとはなしに寝返りを打てば、あの時から少しだけ年を重ねた夫の顔がすぐ近くにある。

(格好いいのは、あんまり変わらないな……)

——まあのろけるのはともかくとして。

こうして無遠慮に観察していても、微動だにせず深い寝息が聞こえてくるので、熟睡しているのだろう。

半分閉めたカーテンからは、淡い光が差し込んでくる。

すでに日は昇っているだろうが、今日は会社がない土曜日なので、無理に早起きをする必要もない。もう少しこうして、布団の中でのんびりしていても許されるはず。そういう時間帯に起きてしまったわけだ。

(香り……もうほとんど抜けちゃってるだろうな)

試しに自分の手首のあたりをかいでみる。

昨晩は、秘蔵の石鹼《せっけん》のおかげでサンダルウッドの香りがすると言われたが、今はもう自分でも違いがほとんどわからない。効果はほんの一時的だった。

それでも久しぶりに南国にいるような香りに包まれたせいか、なんだかいい夢が見られた気がする。思い出のシンガポール旅行。

「朝、か……?」

ほら。夢の中では妙に優しかった人が、まもりに続いてお目覚めのようだ。

あの時貯金箱に入れたコインを、彼はどんな風に使っただろう。

まもりは身を起こすついでに、葉二の頬に口づけた。

「……どうしたおい、景気がいいな」

「まだ寝てていいですよ。朝ご飯作っちゃいますから」

半分ぐらい、夢でのいい気分が残っていた。甘い気持ちで囁《ささや》いてから、一人ベッドを離れて着替えをした。


(確かどこかに、調子にのって糖質オフのシフォンケーキを焼いた後、使い道がまったくなくなってた米粉の袋があったはず……)

キッチンの棚と食料庫を漁《あさ》ったら、お目当ての品を見つけたのでよっしゃと思う。

大根餅の材料は、基本的に大根とお米の粉と片栗粉《かたくりこ》でできているのだ。調理用の米粉や上新粉など、うるち米を挽いたものなら製作可能である。

夢に出てきたからというのも安易だが、朝ご飯はあのキャロットケーキにしようと思っていた。実際、向こうでも朝食や小腹がすいた時の軽食として、よく食べられているらしい。

「まずは……大根をがしがしすりおろします！」

呟《つぶや》いてから腕まくりして、ここだけはがんばって一気におろしてしまう。

ボウルの中で小山になった大根おろしを、手でおさえて軽く水気をきった。

そこから米粉と片栗粉を、だいたい二対一ぐらいのわりあいで入れる。混ぜてお好み焼きの種ぐらいの固さになれば、まあ大丈夫だと毎回思ってやっている。

続けて耐熱容器の底にラップを敷き、そこにどろどろの種を流し込んだ。平らに均《なら》してから、上にもふんわりラップをかける。

(さらにこれを、固まるまでレンジでチン！)

本来なら蒸し器で時間をかけて蒸すらしいが、まもりの場合は簡単レンジ蒸しだ。

加熱をレンジにお任せする間、ここまでで出た洗い物を片付ける。

ピロロと終了の電子音が鳴った。

「さー、ちゃんと固まってるかなあ……」

どきどきしながら、レンジの扉を開ける。

大根餅の種は、加熱前は大根と粉のおかげで真っ白だった。今はもっちりと半透明に透き通って固まっている。まさに大根『餅』である。

「おお、いい感じじゃないの。成功成功」

底のラップごと容器から取り出すのも、簡単にできた。このままな板の上で、粗熱を取って冷ますのである。

その間に、大根餅に絡める具材の準備だ。溶いた卵に鶏《とり》ガラスープの素と砂糖少々、そして水を入れて下味をつける。

餅と卵のふわふわの中で、独特の風味と歯ごたえを生んでいた、チャイポーなる漬物は、帰国して色々調べた結果、甘めのたくあんで代用できることがわかった。こちらはみじん切りにして、スタンバイOKだ。

あとは大根餅が冷めてきたら、ダイス状に切り分ける。

(切る時に包丁がベタベタくっつかないよう、包丁を水で濡《ぬ》らすのがこつですよ)

引き続いてフライパンにごま油を熱し、ホーカーズのおじちゃん気分で、刻んだ大根餅とたくあんを炒《いた》めていった。

「お餅に焼き目を確認。よし」

いざ卵投入！

じゃっと景気よく卵液を流し込む。

フライパンを前にしばらく待って、流し込んだ卵が半分固まってきたところで、今度は大きくかき混ぜて形を整える。

「お皿に取り分けまーす……」

「何やってんだ？」

盛り付けが終わったところで、寝起きの葉二がキッチンに顔を出した。

「あー、起きちゃった。残念、起こしにいこうと思ったのに」

「台所でバタバタされて、そんないつまでも寝てられねえよ」

「まあいいや。ちょうどいいから、ベランダから小ネギ収穫してきてくれますか。彩り用」

「いきなり人使いが荒いな」

あなたにだけは言われたくないのだ。

葉二はぼさぼさの頭をかきながらキッチンを出ていき、お願いした通り、プランターから収穫したとおぼしき小ネギを持って戻ってきた。

「ほれ。けっきょく何作ってんだよ」

「ですから最後にこのおネギを、キッチンバサミでちょきちょき切って散らせば……」

あがりなのだ。


「ああ——キャロットケーキか」

葉二が合点《がてん》がいったとばかりに、にやりと口の端を上げる。まもりも笑った。

そう。キャロットなのに人参《にんじん》が入っていない、シンガポール・キャロットケーキのできあがりなのだ。


シンガポールでは、辛くて甘味の少ないチリソースが添えてあったが、自宅では生春巻きと兼用で、スイートチリソースを使うことが多かった。今回も食卓には、スイートの瓶を出した。

自分で作ったキャロットケーキは、今回もそこそこ似た味に落ち着いたと思う。

「んー、やっぱりチリソースも買おうかなあ。大きめのスーパーとかでは、たぶん売ってるだろうし」

「前に作った時も、同じこと言ってなかったか」

「でもなあ。使い切れないかもしれないしなあ」

「それも聞いた」

どうしてもあと一歩およばない気がして、今回も同じところで悩んでしまう。

記憶の中の、正しいキャロットケーキ。ふんわりとろんと、最高においしかった。でも、もう二年も昔に食べたきりだ。思い出は徐々に美化されていくものだし、自分でアレンジした、自己流キャロットケーキの方が食卓に上がる回数も多く、舌に馴染《なじ》んでしまっている可能性もある。

もしもう一度同じものを食べたら、意外と「こんなだったっけ」と思ってしまうかもしれない。

けれど、まもりにとっては大事な思い出には違いなかった。

「……何笑ってるんですか、葉二さん」

「いや、キャロットケーキっていや、おまえがホーカーズで間違えて注文して戻ってきた時の顔。この世の終わりみたいな面してたよなって」

「余計なことは思い出さなくていいです！」

折に触れて、一緒に行った人と思い出話に花を咲かせる。あんなこともあったねと笑いあう。それもまた、旅行に行く楽しみの一つなのだろう。

そういうわけで旅のご褒美コインは、たまに利子がついて増えたりもするのだ。

「時にまもり。年末の帰省の前に、もう一つイベントがあるだろう。クリスマスとか」

「まあ、そうですね。そっちは特に考えてないですけど」

「クリスマス・シーズンといや、日本で一番丸鶏が出回る時期で——」

「却下!!」

減った。今、ちゃりーんと一枚減った。

本当にしぶとい男だ。

常夏の国の話をする一方、マンションの窓の向こうでは、晴れた六甲山《ろっこうさん》から吹き下りてくる冷たい風が木枯らしとなって、いっそう冬が深まろうとしていた。

その後の小話

「——で？」

　ことの次第を聞いた後でも、秋本茜《あきもとあかね》は納得できなかった。

「社長のシンガポール・チキンライス愛が二年ぶりに再燃して大変なのはわかりましたが、それでどうして社員一同、社長のお宅に呼ばれてチキンライスパーティーになるんでしょう」

「すみません。ほんっとーにごめんなさい」

「奥さんに謝られても、しょうがないんですが」

「まあまあ、ええやないの秋本ちゃん。そないカリカリせんでも」

　一人ダイニングテーブルの特等席に陣取って、クリスマスの売れ残りシャンパンを煽《あお》っているのが、茜が勤めるデザイン会社『テトラグラフィクス』のチーフ・デザイナー、羽《は》田勇魚《たいさな》である。

「今年の忘年会は、これっつーことで。店決めんでもええから、ほんま楽ちんやで」

「わたしと葉二《ようじ》さんだけじゃ、こんなに一杯食べられなくて。ほんとすみません」

「わかりますけど……」

社長夫人の亜潟《あがた》まもりだけが、小柄な体をいっそう縮こまらせているのが、より納得できないのだ。

肝心の亜潟社長は、気の抜けきったジャージにエプロン姿でキッチンに立っている。

さきほどまで五人前の丸鶏一羽を巨大な寸胴鍋で茹《ゆ》で、鶏の脂と各種の薬味で炒めたジャスミンライスを、茹で鶏のスープとともに五・五合炊きのIH炊飯器で炊いていた男だ。

鍋から引き上げた丸鶏は、しばらくタライの中で氷水につけられていた。これが広東《カントン》式だと、当人が偉そうな顔で説明していたものだ。冷えた鶏をまな板に移し、可食部分の切り分け段階に入ったようである。仕事の仕様チェックの時なみに真剣な目なのが、茜には理解しがたいのだ。

「このみさん。今日は藤崎《ふじさき》さんは？」

「デイサービスのお迎えあるから、不参加だそうです」

最近雇った事務パートの人は、うまいこと難を逃れたらしい。茜もそうすれば良かったか。

同僚デザイナーの小野《おの》このみは、この状況でもネタ重視らしい。カウンターに置かれた無骨なデザインの炊飯器と、葉二の背中を見比べながら微笑《ほほえ》んでいる。

「でもほんと、チキンライスのために思い切りましたよねえ。社長のところ、二人暮らしでしょう。このサイズの炊飯器も寸胴鍋も、もしかしてわざわざ買ったんですか？」

「それが小野さん……聞いてください……」

まもりが青ざめた顔で茜たち女性陣を呼び集め、こっそりと打ち明けた。

「……知ってます？　最近は炊飯器も寸胴鍋も、レンタルできるんですよ……」

「あちゃー、それがあったか」

「それは社長止められないわ」

若い社長夫人は、両手で顔を覆った。

「うちにそんな大きな鍋はないって、それだけが抑止力だったのにもう……」

「おい！　くっちゃべってる暇があったら手伝ってくれ」

話題の主が、鶏をさばきながら振り返った。

この時胸に浮かんだ気持ちは、たぶんこのみもまもりもさして変わらなかっただろう。

おいこら、パワハラ野郎め。変なことに凝りやがって。

しかしそれが、茜たちと一蓮托生《いちれんたくしょう》のボスなのである。

（これでまずかったら、承知しないぞ）

茜たちは、せめてもの抵抗で社長に言い返す。

「手伝うって、何をすればいいんですか」

「飯が炊き上がっただろ。人数分、器によそってくれ。あと食べたい部位の申告」

「部位？」

「胸肉がいいとかモモ肉がいいとか、ささみも食べたいとか」

「あー、ニワトリ一匹やから、好きに選べるんやな」

レンタル炊飯器の蓋を開けると、ショウガと鶏の出汁《だし》香るジャスミンライスが、ほかほかと炊き上がっていた。

メインの茹で鶏は食べやすいサイズに切り分けられ、仕上げにごま油を回しかけてテーブルへ運ぶ。

いざ実食へ。

「う、うま」

「お肉の皮が、つるっつるのぷるんぷるんですー」

「味が、ちゃんと肉の味が……」

「俺のどあほ。これに合わせるのはシャンパンやない、ビール持ってくるべきやった！

タイガーかシンハーあたりの！」

エスニックなスイートチリソースをつけて食べると、これがまた絶品なのだ。

鶏は煮込みすぎずに肉の旨《うま》みを内部にとどめ、氷で急冷したおかげで皮はぷるぷる中身はジューシー。鶏の味がスープに出きって『だしがら』のようになった残念茹で鶏とは、一線を画す味だ。

副産物の茹で汁で炊いたご飯も、インディカ米らしい軽い味わいで、絶品の鶏や生野菜と一緒にどんどん食べられてしまう。

「——そうそう、これだこれ」

みな食べるのに夢中で無口になる一方、当の亜潟葉二だけがすっきり満足げにうなずいているのが、ちょっとだけしゃくだったのである。

二章　まもり、三度目の正直餃子でいい嫁なるか。

ＪＲ新神戸駅《しんこうべえき》は、神戸《こうべ》と名はつくものの、六甲山《ろっこうさん》の中腹にあって新幹線だけしか停車しない小さな駅だ。それでもまもりたちが暮らす灘区《なだく》の自宅からは一番近く、今回は移動のロスを少なくしようということで、いつもの新大阪駅《しんおおさかえき》ではなくこちらから東京《とうきょう》に帰ることにした。

「お土産、家の数だけ用意したー。自分用の駅弁、飲み物含めて買ったー。たぶんぬかりなーし」

年の瀬も極まれりな、十二月三十一日。まもりは午前中の早い時間帯に乗り込んだのぞみグリーン車で、指を折り折りチェック項目の復唱に余念がない。

（これが噂《うわさ》の帰省ラッシュかー）

今いる車両は新大阪駅の手前なのに、かなりの席が埋まっていた。電話をかけるためにデッキへ移動した葉二《ようじ》いわく、隣の自由席は満席だったという。

まったく大晦日《おおみそか》なのに、ご苦労なことだ。頭の上の荷物棚や、座席と座席の間のスーツケース率も高く、この大荷物の集団の何割かは旅行やビジネスの可能性があるにしても、なんとなく親近感を覚えてしまう。

「みんな朝からお疲れ様って感じですね」

「自分もその一人って、忘れてないか」

「いやいや葉二さん。そうは言っても実際ちゃんとつくばのお家《うち》に帰省するの、初めてじゃないですか。なんか新鮮さの方が勝っちゃうというか」

そう。葉二と結婚して三年目ながら、初なのだ。

最初の年末も、一応いい嫁をする気まんまんで帰省する算段をたてていたのだ。しかし、姑《しゅうとめ》の紫乃《しの》のインフルエンザでお流れになってしまった。二年目は、全国規模で県外への移動が制限されるような情勢だったので、ここでもやむなく中止。三度目の正直で、ようやく二人とも顔を見せられそうなのだ。

「香一《こういち》さんのところも、愛知《あいち》から泊まりに来てるんですよね」

「らしいな。以慧《いえ》さんと餃子作るんだったか？」

「そうそれ！　もー、こっちはやっと四年越しの約束が果たせますよ」

葉二の二つ上の兄、香一の妻は台湾《たいわん》出身だ。結婚前に顔を合わせた時――これはこれでとんだハプニングだったのだが——大晦日には餃子を作る風習があるという話を聞いて、いつかみんなで作ろうと約束したのである。

「あと、娘さんの仁那《にな》ちゃんにも会いたい。ぜったい可愛《かわい》くなってるはず」

「……なんつーか、おまえの辞書に載ってる『親戚づきあい』の項目は、緊張とか気まずいとか全然なさそうだな。おめでたくて羨ましいわ」

「あらまあ、なんて言い草でしょう。お義母様《かあさま》やお義姉様《ねえさま》の仕打ちに胸を痛めても、夫には心配かけまいとする妻のけなげな心がわからないとは」

「そうなのか……？」

「冗談に決まってるじゃないですか」

真面目に訊《たず》ね返されて、まもりはいたずらっぽく笑ってやった。

「だよな。驚かすな」

「もちろん、人並みに緊張はしますよ。当たり前じゃないですか。でも紫乃さんも以慧さんも、いい人なのは変わらないですもん」

たぶん自分は、とてもラッキーなのだと思う。

通路側の席に座る葉二は、いつもの癖でまもりの後ろ頭をなでようとしたらしいが、すぐ脇を大荷物の人が通り過ぎていくのでやめてしまった。わざとらしく咳払《せきばら》いをしてから、行き場をなくした手をパンツのポケットに突っ込んだ。

「これやる」

「あ、どうもありがとうございます」

ぶっきらぼうに渡されたのは、ポケットに入っていたとおぼしきのど飴《あめ》である。

ちょうど喉が乾燥していたので、ありがたくいただいた。かりんののど飴、甘くて非常にうるおう。大阪《おおさか》のおばちゃんのようである。

停車していた新幹線も、ゆっくりと動きだした。葉二は早々に熟睡の体勢に入ってしまったようだ。クリスマスにまもりがプレゼントした深いグリーンのカシミアセーターが、振動のたび肘掛けを越えてこちらの腕に触れた。

——ああ、帰るんだなと思う。

生まれ育った関東の地に行くのは、久しぶりだ。つくばの義理両親、ついでに川崎《かわさき》の両親の顔も見てくる予定である。

嫁として人並みに緊張はするが、会う人のことを考えればそう心配はしていないという、葉二に言った言葉に嘘《うそ》はなかった。

だがまさか、まったく『別』のところから伏兵が来るとは思わなかったのである——。

新幹線が東京駅についたら、そこから在来線を乗り継いで茨城県《いばらきけん》南部のつくば市へ。午後二時過ぎには、無事筑波山《つくばさん》が遠目に見える研究学園駅《けんきゅうがくえんえき》に到着し、目的の一戸建を訪ねることができた。

ドアを開けたのは、姑の亜潟《あがた》紫乃である。まもりは勢いよく頭を下げた。

「お義母さん、ご無沙汰してます！」

「いらっしゃい、まもりさん。さ、入って入って。遠くから疲れたでしょう——ああ、葉二も元気そうね。二階の部屋は空けてあるから、荷物はそっちにね」

「息子にはえらい適当だな」

「当たり前でしょう」

定年まで教職を務めたという女性で、上品なボウタイのブラウスと藤色のカーディガンを着た背中は、小柄ながらもぴんと伸びてかくしゃくとしている。

正直息子の葉二と似たところはほとんどないのだが、中学時代にお世話になった先生を思い出すのでなんとなく好きなのだ。まだ紫乃にも、葉二にも打ち明けていないことだ。

まもりは玄関で靴を脱ぎ、葉二もスーツケースを持って上がり込む。

「兄貴たちは？」

「来てるわよ、昨日から」

紫乃が答えたところで、奥の廊下の低いところから、可愛らしい顔が覗《のぞ》いた。

（わ）

ベビーピンクのトレーナーに、赤いポンポンのヘアゴムでおでこを見せた、三歳ぐらいの女の子だ。ふんわりした服装に反し、上目遣いの大きな瞳はなかなか眼力があるとまもりは思った。

たぶん、この子が香一と以慧の一人娘、仁那嬢だろう。二人の面影があちこちにあって嬉《うれ》しくなった。それにしてもずいぶん人間らしいサイズになったものだ。

まもりはじっとこちらの様子をうかがっている彼女に、中腰で話しかけた。

「こんにちは！　仁那ちゃんだよね」

しかし仁那はまもりの声に硬直した後、かかとで一歩一歩と後ずさりを始め、最後は駆け足で退散してしまった。

「あー……」

「ちょっと人見知り気味なのよね。そのうち慣れるわよ」

紫乃にフォローされてしまった。

「……まあ、ちゃんと会ったのは結婚式の時以来ですし……びっくりされてもしょうがないですよね」

「びびられてやがんの」

「葉二！」

まもりが反応するより早く、紫乃が教育的指導で怒ってくれるので、家にいるよりかなり楽かもしれなかった。

あらためてリビングに顔を出すと、ソファセットの方に人が集まっていた。

画用紙タイプのお絵かき帳が、使いかけのクレヨンセットと一緒にカーペットに広げてある。子供の仁那に絵を描かせつつ、大人はテレビ鑑賞と、アナログゲーム大会が開催中のようだ。ローテーブルの上に、折りたたみ式のチェス盤があった。

「やあ、よく来たね。まもり君も葉二も」

「ご無沙汰してました、お義父《とう》さん」

辰巳《たつみ》は葉二の将来像がたやすく想像できる、ロマンスグレーの渋いお義父様である。アイロンのきいたワイシャツに、焦げ茶色のニットベストとウールのスラックスが、紳士ぜんとした辰巳の雰囲気によく似合っていた。

「ゆっくりしていきなさい」

「はい、ありがとうございます」

そんな辰巳と盤を挟んで長考中なのが、辰巳をそのまま若くした風貌の長男、香一だ。つまり次男の葉二にそっくりでもある。

カジュアルな青いセーターを着た体型も既視感があり、まもりを一瞥《いちべつ》してから少し眠たげな目で会釈をする香一を見て、あらためて亜潟家の遺伝子は父方の血が濃いのだなと思うのである。

（遺伝って面白いなあ）

さきほど逃げ出した仁那が、そんな香一の陰に隠れている。まもりの位置からは頭の赤いポンポンと結んだ髪の毛先だけが、子犬の尻尾のように覗いていた。

「──まもりサン、こんにちは」

「あー、以慧さん！」

キッチンから香一の妻、以慧も登場である。

「わー、わー、お久しぶりです！　お元気でしたか」

「はい、とてもお久しぶりです。元気ですし、お会いできてとても嬉しいです」

彼女も来日してそれなりに年数がたったせいか、ずいぶん日本語も流ちょうになっていた。それに比べてハイネックのシャツとスキニーパンツを着るスタイルが、以前とまったく変わっていないのはどういうことだ。

「仁那、お二人にこんにちははした?」

以慧は香一の後ろにいる仁那に、挨拶をするよううながした。

「こちらの方は、パパの弟さんの、葉二サン。こちらのまもりサンは、葉二サンのお嫁さんですよ」

「どうも」

「神戸のお式の時にもね、一緒に写真撮ったんだよ。仁那ちゃんは覚えてないと思うけど」

顔を出した仁那に、わかりやすく『葉二叔父さん』『まもり叔母さん』と呼ばせないあたり、かなり配慮してくれている気がした。こちらはこの際、なんでもいいとも思っているが。

しかし仁那はやはり恥ずかしいのか怖いのか、周りの視線とプレッシャーが集まるにつれてどんどん泣きそうな顔になり、ついには香一の膝に顔をうずめてしまった。

「どうした、お口きけなくなったのか仁那は」

父親の香一に揶揄《やゆ》されても、仁那は亀の姿勢のまま首を振るばかりで顔をあげない。

「……もう。来年は幼稚園生でしょう」

「いいですよ、以慧さん。急にじゃびっくりしちゃいますよね」

こちらとしても、無理強いしたいわけではないのだ。

「パパっ子なんですね、仁那ちゃん」

「ふだん仕事でいないから、こういう時べったりなのです」

以慧は苦笑した。それはそれで可愛いではないかと思った。

「――そんじゃ、まもり。二階上がって、上着と荷物置いてきちまおう」

葉二が、通り過ぎた階段の方角を指さした。

二階突き当たりにあるドアを開けると、その先はカーペット敷きの六畳間だった。作り付けの本棚や机周りにほとんど物がなく、まるで入居前の学生寮のようである。それでもここが葉二の私室にあたるらしい。

シングルベッドに真新しいシーツがかけられ、客用布団一式が用意されているのが、前回部屋を見せてもらった時との違いだろうか。以慧たち一家は、隣の部屋を使っているそうだ。

「前も思いましたけど、私物ないの偉いですよね……」

「そうか？」

「だって川崎のわたしの部屋、昔の教科書とか服とか捨てずに置きっぱなしだから、母がうるさいんですよ。ちっとも片付かないって」

まだ今よりあそこに居住権があった大学時代から、家族の荷物も持ち込まれてカオスになっていた。

明日以降、川崎にも顔を出す予定だが、はたしてあのスペースに二人ぶん泊まる余裕があったか心配になってきた。今回はユウキも正月を避けて帰省するというから、いざとなればあちらの部屋を使えばいいだろうか。

「そうは言ってもな……俺がこの部屋をまともに使った期間って、かなり短いんだわ」

「え、どういうことですか？」

意外や意外。初耳の話である。

「もともと住んでた家は、ここじゃなくてもっと東側の地区でな。大学や研究所勤めの公務員用宿舎とかが建ってたあたりなんだ。新しくつくばエクスプレスが開通するってんで、オヤジたちが盛り上がって土地買って家建てたわけ。俺が十八の時」

「微妙……」

確かに十八ともなれば、末っ子の葉二も充分大きくなってからと言えた。上の瑠璃子《るりこ》や香一は、とっくに家を出てしまっていたかもしれない。

「実家のような実家じゃないような、って感じですね……」

「まあ帰れば寝る部屋はあったし、姉貴なんかはしょっちゅう北斗《ほくと》連れて泊まりに来てたから、建てた意味はあったんだろうけどな。あと二人とも仕事してたから、自由に教材広げられる書斎が欲しかったんだと思うぞ」

「なるほどー……」

この生活感があまりない部屋の意味が、やっとわかった。あくまで紫乃たちのセカンドライフのために建てた家ということか。

「了解です——事情はよくわかりました」

まもりは言いながら、脱いだハーフコートを部屋のハンガーにかけた。そして返す刀でスーツケースの中から、チェック柄のエプロンを取り出した。

「……何をしてるんだ、まもり」

「何って、戦闘準備ですよ。嫁仕事の」

いつも家事のお供につけている相棒の紐《ひも》を後ろで素早く結び、髪もシュシュですっきりまとめる。

「いいですか、葉二さん。いくら先方が良い方揃《ぞろ》いでも、嫁が旦那の実家に行って何もしないなんて、絶対ありえないですからね！　働いて働いて働きまくらないと！」

「……そうなのか」

「そうなの！」

わたしは詳しいのだこういうのに。ネットに沢山書いてあったのだ。

「……いや、おまえがそうしたいならそうすりゃいいが。まずはほれ、当人に聞いてみりゃいいんじゃねえの」

対して妙にテンション低めの葉二に背中を押され、再び階段を降りて一階へ行った。

しかし。


「……ない？」


いざ紫乃にすることはないか聞いてみたら、そんな返事を貰《もら》ってしまった。

「な、ないってことはないと思うんですが。あの、年末なら色々ありますよね。大掃除とか、お節の準備とか」

たとえば油でぎったんぎったんの、レンジフード磨き。高いところの照明の、意外に面倒な傘掃除。根気がいる煮物鍋の番とか。もうなんでもやる気で来たのだ。

「そう言われてもねえ……」

紫乃はソファにて優雅に一服中で、戸惑い気味に首をかしげた。

「お掃除だったら、香一も以慧さんもいたし、みんなで分担してちゃっちゃと終わらせちゃったのよね」

「ほらあ、葉二さん！　やっぱりもっと早く来るべきだったんだよ！」

完璧に出遅れてしまったではないか。

「しょうがないだろ、外せない仕事があったんだから」

「なんであなたはわたしの『最初が肝心』なイベントを、ことごとく潰してくれますか。結婚前の入社式の時だって」

「過ぎたことを今さら蒸し返すな！」

思わずヒートアップしそうになってから、はっと我に返って紫乃に確認した。

「お、お節の方は……」

「いつもデパートにお願いしているのが、さっき届いたの。おいしいわよ」

注文派か！　それはそれでステキですお義母様《かあさま》。

しかし本当に、まもりの出番はないということではないか。

「そんな……」

ダメ嫁。気が利かない女。周回遅れのびりっけつ。そんな言葉が脳内を駆け巡る。

「……葉二、あなたまもりさんに何か吹き込んだの？」

「ちまたの嫁姑《しゅうとめ》論争を勝手に取り入れて、盛り上がってたらしい。あんまり気にしないでくれ」

身も蓋もない解説をしないでほしい。図星なのがまたきついが。

「まもりさん。今は本当にゆっくりしてくれてていいのよ。気持ちはありがたいけど」

「だいたい、掃除に参加しないからってなんだよ。姉貴なんて、元旦にお節の海老《えび》だけ食いに来て帰る奴だぞ」

「瑠璃子さんとわたしは立場が違う……」

「必要になったら、誰だろうが遠慮なく声かかるから。そこまで疑う気か？」

——確かに、葉二の言う通りかもしれない。

料理も掃除も、やるべきことがあったら、全員で取りかかってさっさと済ませるのが、亜潟家のやり方だ。まもりも実際にこの目で見たではないか。

ネットの『常識』と目の前にある事実、どちらを信じるかと言われれば、当然後者なわけで——。

「……すみません。ちょっと先走りすぎました」

「暴走しやがって」

穴があったら入りたい。せっかく色々シミュレーションして、うまくやろうと思ったのに。

「でもねえ、まもりさんの気持ちはわかるわよ。私も嫁いですぐの頃はそりゃあ気ばかり揉《も》んで、あることないこと考え込んで胃が痛くなったものよ」

「お袋。その話はクソ長くなる気配がするからやめてくれ」

「こんな時ぐらい聞いてちょうだいよ」

「──あの、すみません。でしたらお願い一つしてもいいですか」

横から遠慮がちに上がった声は、少しだけアクセントに特徴がある女性のものだった。

クレヨンでお絵かき中の仁那を見守っていた、以慧である。

(以慧さん)

「実は今日の餃子《ぎょうざ》作り、材料一つ足りないのです」

「あら、全部揃《そろ》えたと思ったんだけど」

「申し訳ないです。私がお義母サンにお願いし忘れたんです。小麦粉は、薄力粉じゃなくて中力粉が必要だったのです」

まもりたちは、お互い顔を見合わせた。

(ちゅうりき……と言いますと?)

ふだんはあまり聞かない響きだ。とっさに助けを求めた葉二も、「俺もあんま詳しくないが……」と前置きして言った。

「確か小麦粉は、粉に含まれるタンパク質の量で分類されてるんだよ。一番多いのが強力粉」

よく粘るから、パン作りなどにむいてるそうだ。

逆に一番少ないのが薄力粉で、さらっとして粘らないのが特徴だという。

「薄力粉は、ふだんのお料理に使いますよね。フライのつなぎとか、お好み焼きとか」

「だな」

あとはケーキやクッキーなどの、お菓子作りか。コンビニの棚にすら置いてある、一般的な小麦粉だ。

「中力粉は、文字通り二つの粉の中間ってわけだ」

「この場合の使い道はなんですか？」

「たとえばうどんを打つのとか。地粉とかうどん粉とか呼ばれてんのが、だいたい中力粉だ」

「ああ、あれ本当に小麦粉なんですか」

ちょっと驚いた。てっきり近くに置いてある天ぷら粉やお好み焼き粉のように、他のものが色々混ざっているのかと思っていた。

「台湾の小麦粉、中力粉多いです。水餃《ショエイジャオ》の皮も、饅頭《マントウ》の皮も、みんな中力粉で作ります」

「なるほど……」

つまり以慧にとっては、身近な小麦粉といえば中力粉で、当然家にあってしかるべきものだったのかもしれない。まさかないとは思わなかったのだろう。

「ごめんなさいね、以慧さん。確かに薄力粉と、あとは強力粉ぐらいしか用意してなかったわ……」

「二つ混ぜたらなんとかいけないか？」

いかにも葉二らしい、大ざっぱきわまりない質問に、以慧も眉を寄せて考え込む。

「それをしている人がいるのは知っています。成功するかもしれません。でも私はやったことがありません。今日は紫乃お義母サン、辰巳お義父サン、葉二サンにまもりサン、皆さんいらっしゃるのにぶっつけ本番で失敗、それは許されません。絶対に絶対に成功させないといけないミッションなのです……」

「おーい兄貴。俺らの嫁さん、なんか気合いが間違ったとこにほとばしってねえか？」

葉二が振り返って訊《たず》ねると、香一はのんびりした口調で「俺に言われても困るわ」と責任を丸投げしてくれた。

　二人の父親である辰巳は——ひたすらにこにこしている。

「本当は、後で買いに行こうと思っていたのです。でもまもりサンが行ってくれるなら、ここで仁那を見ていられるのでとても助かります」

「は、はい！　行きますやります！」

　まもりは、勢いこんでうなずいた。ただじっとしているより、ずっといい。やらせてくれという気持ちだった。

「いいの？　お願いできる？　まもりさん」

「もちろんです」

　どこに店があるかもわからないうちから、快諾してしまっていた。

「ああじゃあ、車貸してくれるなら俺がモールまで運転するわ」

「買い出しに行くのか？　ならビールとウィスキーを買ってきてくれるか」

「しれっと追加してくるよなオヤジは」

　葉二とリビングを出ようとしたら、以慧とあらためて目があった。

　——彼女は涼やかな瞳を細めて微笑《ほほえ》んだ。暗に『良かったですね』と言っているのがわかったから、まもりは胸がいっぱいになってしまった。

大好きなはずの旦那の実家で、緊張したり空回ったり。以慧はそんな気持ちを理解した上で助け船を出してくれたのだ。

「ね。けっきょくのところ、皆さんいい人なんですよ」

カーポートの自家用車に乗り込みながら、まもりは少々自嘲してしまった。あれこれ気を回しても、こんな風に気を使われてしまうのだから。

（かなわないなあ）

嬉《うれ》しいやら情けないやら。とにかく修行が足りないのは確かだった。

学園都市として計画的に拓《ひら》かれていった街らしく、一帯は車道も歩道も道幅が広い。車で郊外型の大きなショッピングモールに到着すると、無事中力粉の袋と、ついでに頼まれたあれこれを購入し、また家に戻ってきた。

「買ってきましたー」

「ありがとうございます、まもりサン」

「表示はうどん粉って書いてありますけど、たぶん中身は中力粉のはずです」

「こっちも準備ができたわよ」

エプロンを着けた以慧と紫乃が、キッチンでまもりたちを出迎えた。いよいよ年末餃子作りの始まりのようだ。

「兄貴とオヤジは？」

「仁那ちゃん連れて、畑に行ってもらってるわ。餃子用の白菜取りに」

葉二の口の端が、一瞬ひきつった。

「それは……あの庭を掘り返して作ってた畑か？」

「そうよ？」

「普通の白菜か？」

「普通じゃない白菜があるの？」

けげんな顔で紫乃が訊ね返す。

確かに意味のわからぬ胡乱《うろん》な質問ではあるが、まもりには葉二の心中を察することができた。たぶん来年も近所の市民農園は指をくわえて見ていることしかできない状況で、家のベランダでせせこましくミニ野菜を作るしかない人間にとって、地植えで大型野菜を育てられる環境は貴族の所業に見えるのだろう。悔しいけど見たい気持ちもちょっとあって葛藤している。これはそういう心持ちの葉二だ。

「お、お義母さん。これはわたしも行っていいですか？　お義母さんが育てた白菜見てみたいです」

「いいわよ、もちろん。その間にお粉とか計量しちゃうから」

「ほら葉二さん、見学してもいいって。行ってみよう」

「おまえ、このクソ寒いのに外出たいのか？　しょうがねえな――」

ああもう、この人ほんとにめんどくさい。

再び外に出て、カーポート脇の庭へと回り込んだ。

紫乃が言っていた通り、広さにして四畳半ほどの菜園では、野菜の収穫作業が行われていた。

「――葉二」

「通り魔が住宅街に迷いこんだみてえだぞ、兄貴」

香一は防寒用のダウンジャケットを着込み、右手に抜き身の包丁をぶら下げている。それを指して通り魔と表現するなら言い得て妙だが、まもりが同意するわけにはいかない。

「いやだって、白菜切り取るならこれ持ってけってお袋が」

香一自身は、特に野菜にも収穫にも思い入れもないようである。だからこそ余計に、現場から浮いて犯罪感が漂ってしまうのかもしれないが。

「危ないから、凶器ぶらぶらさせんな。どれ収穫するんだ？」

「その右端に残ってるやつらしい」

けっきょく葉二が一番前に出て、香一から収穫用の凶器を受け取ってしまうのだから、世話がなかった。

紫乃が世話する小さな畑は、大根や小松菜など、冬向けの野菜が整然と植えてあったが、問題の白菜は、黒いマルチが張られた敷地《しきち》の端に、一株だけ残っている状態だった。

本当なら外葉が放射線状に広がって生えているはずなのに、外葉ごと紐《ひも》でまとめてぐるぐるに縛ってある。

「……な、何かのおまじないですか……？」

「防寒と保存のためだろ。大型の白菜まるまる一個なんて、家の冷蔵庫に入れとけないからな」

葉二はこともなげに言った。

「だったらこうやって外葉で結球した部分を包んで保護してやりゃ、外気が野菜室以下の気温になっても、中が霜や寒さにやられないですむ。根がついてるって言っても、冬場じゃ生長もたかが知れてるしな」

「あ、なるほど」

「へたに切るよりそのまま畑に置いといた方が、鮮度を保てるって算段だ」

まさに葉二が時々口にする、『生きた野菜は腐らない』の概念そのものだ。

（確かに、その方が長持ちしそう）

買ってきた土つきネギを、ベランダのプランターに埋めておくのと同じだろう。いったん二分の一だの四分の一だのにカットしてしまった野菜が、切り口からすぐに傷んでしまうのもまもりは知っていた。

「……とにかく外葉から傷んではいくが、どうせ食うのは中の方だからな――貴族め」

どさくさに紛れて毒づいたのは、聞かないふり見ないふり知らないふりをした。

葉二が包丁で紐を切り、しなびたり変色した外葉を避けていくと、中心に残るのはまるまる太った白菜様である。

「これを根元から包丁で切り取る――と。ほらよ兄貴」

雑に放られた白菜を、香一が両手で受け取った。

「……生まれたての赤ん坊ぐらいあるのな。ほら仁那」

香一は、また前触れもなく娘にパスした。

「良かったねー、仁那ちゃん。おばあちゃんが育てた白菜だよ」

まもりが笑って話しかけると、仁那は抱えていた白菜を、畑に放り出してしまった。

「だ、大丈夫？　どうしたの？」

何せ彼女の顔が、真っ青なのである。

後から香一や辰巳が聞いても、落ちた白菜を怖々見つめるだけの仁那を救ったのは、葉二だった。

「ああ——虫がいたんだ。びっくりしたんだな」

放り出した白菜を拾い上げ、小さな幼虫らしきものを見つけて苦笑した。

そのまま仁那に向き直り、目線を合わせるために片膝をつく。

「もう大丈夫だよ。仁那ちゃんが見た虫さんは、あったかいところで寝てただけなんだ。もう取ったから平気だよ」

「……ほんと？」

「怖くないよ。それにね、仁那ちゃん。ああいう虫さんが安心できる野菜は、それだけ病気もしていない、甘くておいしい野菜ってことなんだよ」

毒も牙もまるで見せない、完璧な笑顔だ。静止画面で歯が白く光っていてもおかしくない。

「さ、お母さんのところに持ってってあげな」

「……わかった」

「偉いね仁那ちゃんは」

葉二に渡された白菜を、仁那は大事そうに両手で抱えこんだ。そのまま頬を紅潮させ、家の中へ走っていった。

なんだろう、この着脱自在のキャットスキン。

「……お子様には愛想がいいようで」

「言ってろ言ってろ。泣かせるよかましだろ」

まもりの指摘に、葉二が素の顔に戻って頭をかいたのだった。

収穫作業を終え、全員でキッチンに戻ってくると、仁那が運んできたばかりの白菜一玉が、堂々とシンクの中に鎮座していた。

「それじゃ——あらためて教えてもらいましょう。以慧『先生』に」

「……がんばります」

姑《しゅうとめ》の紫乃に言われ、以慧が重々しくうなずいた。正真正銘、本物の先生だった人に言われると、たとえ笑顔であろうとプレッシャーはすごいだろうなとまもりは少々同情してしまった。

「そもそも、どうして大晦日《おおみそか》に餃子《ぎょうざ》なんでしょうね」

今さらだが、素朴な疑問だ。

「餃子は、春節に食べる年菜の一つなのです。年菜は、食べると縁起が良いと言われるものです」

「まんまお節料理ですね」

「でも、年が明ける前に食べます」

違いはそこにあるようだ。

九月に旧暦八月の中秋節を祝ったように、本来なら旧正月のカレンダーで祝う行事でもあるらしい。餃子の他にもみかんやパイナップル、大根や魚、青菜や餅、蒸しパンなどを食べるという。名前の読み方が、別のおめでたい単語の発音に似ているからなどが多いそうで、そういうところも日本のお節文化に通じる気がした。

「水餃子は、形が昔の中国のお金に似ているから、商売繁盛で金運が上がるそうです」

「じゃあ、やっぱり作るのは水餃子ですか」

以慧は目だけで微笑《ほほえ》んだ。それがまた、今までにない好戦的な笑みにも見えたから、ちょっとどきりとした。

「正解ですまもりサン。すぐ焼いてしまう日本と違って、餃子といえば水餃子を指します。おいしいしお腹《なか》いっぱいになりますよ」

素晴らしい自信。なんだかわくわくしてくるではないか。

まずは餃子の皮作りからだった。

大きなボウルに、まもりが買ってきた中力粉が、計量済みで入っていた。軽く握ると、形が残ってほろりと崩れる。確かに薄力粉とも強力粉とも違う感触だ。

「お塩を溶いた水を、粉にかけて混ぜます」

「冷水でいいのか？　熱湯使うやり方も聞いたことがあるが」

今回は、葉二もアシスタントで生徒役だった。

「それ、たぶん焼き餃子用の皮です」

「違いがあると」

「はい。熱いお湯を使うと、冷たい水よりよく水を吸って柔らかくなります。薄くて口当たりが柔らかい皮になります。焼いてぱりっとさせるのに向いてます」

「まさしく焼き餃子用ってわけだな」

「水餃《ショエイジャオ》、大事なのは『もちもち』です。茹《ゆ》でて『ふにゃふにゃ』は、残念な皮です。噛《か》みごたえがある皮を作るためには、お水で練って弾力アップさせる必要があります」

言っている間に粉と水が混ざって、ぽろぽろのそぼろ状になった。

「こんなものですね——パパ！」

以慧が香一を呼ぶ。

「出番か」

のっそりと当人が顔を出す。

「これがひとかたまりになって、つやつやになるまでよく練る。やってください」

「いつものやつな。了解。オヤジも仁那も手伝ってくれ。一人でやると腕が死ぬ」

ボウルを受け取った香一が、慣れた仕草でカウンターの向こうのダイニングテーブルへ向かう。その後を、仁那がヒヨコのように追いかけていく。

「私たちは、この間に餡《あん》を作ります。白菜をみじん切りにして、塩を振って出てきたお水を絞ります」

「あ、それわたしやります」

「刻むのはフードプロセッサーがあるから、そいつに任せるといいぞ」

「じゃあ葉二とまもりさんは、そっちをお願い。以慧さん、おネギとショウガは?」

「みじん切りで」

「私が包丁でやるわね」

だんだん亜潟式分業スタイルが、本格的になってきたぞ。

まもりと葉二が白菜をむいては洗ってフードプロセッサーにかける作業を繰り返してい

る横で、紫乃がまな板でネギを刻み、以慧は豚挽肉《ひきにく》に塩を入れて練り、そこに酒と醤油《しょうゆ》、ごま油、砂糖と鶏《とり》ガラスープと、味付けを始めた。

「先にお塩を入れて粘りを出すと、後でばらばらになりません」

「おネギとショウガ、刻めたわ。入れてもいい？」

「お願いします」

薬味も投入し、さらに肉をこねこね。

「そういや、ニンニクとニラは？」

葉二が、思い出したように以慧に訊《たず》ねた。

「本場だと入れないとかあるのか？」

「いえ。別にそういうわけでもないのですが……仁那が匂いの強いものを嫌がるので、中には入れなくなっただけで」

「ああ、そういう理由か。小さいのがいるうちは配慮がいるな」

「かわりに大人は、おろしたニンニクと刻みニラを用意して、タレの薬味として好きに入れられるようにします。好きな人は好きなだけ使えばいいです」

「――いいですね、それ！　グッドアイデア！」

思わず白菜の水を切りながら、口を挟んでしまった。

「だってお子様関係なしに、明日予定がある人間と、がっつりニンニク餃子を食べたい人間が共存できるじゃないですか。うちにいるどこかの誰かさんの作る餃子ときたら、おいしいけどニンニクとニラ臭すさまじくて。お願いだから減らしてって言っても、『これが俺のベストだ』とかふざけてますよね某毒舌園芸ジャージ」

「俺以外ないくせに変なぼかし方するな」

「どちらかが我慢しなくてもいい真のダイバーシティ餃子……素晴らしい」

是非とも我が家でも、導入すべき事案だ。

「台湾の餃子、わりとタレでなんとかするところあります」

以慧が苦笑しながらフォローした。

刻んだ白菜も塩もみして水を出し、味付けした肉に混ぜて、餃子の餡は完成だそうだ。

「よし──兄貴の方はどうなった」

皮製作組は、ダイニングテーブルにいた。

覗《のぞ》きに行くと、成果物らしきものが、濡《ぬ》れ布巾に包まれてボウルに入れてあった。

「わー、つるっつるのつやつや。鏡餅みたい」

布巾をめくったまもりは、歓声をあげる。ついさっきまで、ぽろぽろのそぼろ状だった物とは思えなかった。

「仁那ちゃんも、お手伝いしたの？　お粉こねこねして」

近くにいた仁那が、可愛《かわい》らしい子供用のエプロンを着け、ほっぺたに小麦粉の跡もつけていたので、聞いてみた。

彼女は黙ってまもりを見上げ、眉間の皺《しわ》を深めたあげく、ふいと顔をそむけてしまった。

（ありゃりゃ）

またもや空振り。塩対応の人見知りモードか。

（……どうもなー、わたしだけ特別当たりがきついような気がするんだけど、気のせいだよね……）

たまたま虫がいたとか、虫の居所が悪かったとか、そういうものだと思いたい。

生地を休ませている間、ここまでで出た洗い物を片付けて、いざ成形となった。

ダイニングテーブルをアルコール消毒し、直接打ち粉を振って、テーブルそのものを作業台にしてしまう。

以慧は生地をいくつかに分けて細長くすると、手で千切って丸めていった。

さらにそれを手の平で潰し、麺棒で丸く伸ばして加工していき、あっという間にちまたでよく見る餃子の皮を作ってしまう。

何かの映像を、倍速で流しているかのような早業だ。

「以慧。俺も手伝うわ」

香一が、ラップの芯を持って皮作りに参戦した。

どうも麺棒が一本しかないようで、代わりに使うのがそれらしい。道具はチープだし以慧ほどの速さもないが、これがなかなかうまい。人数が二倍になって、皮のできあがりスピードも格段に上がった。

「乾燥してしまう前に、みんなで餡を包んでください」

「は、はい!」

「お義母サン、お鍋にお湯を沸かしてもらえますか。できるだけ沢山」

見事な手際に、みとれている暇もなかった。人間皮製造機から繰り出される丸い皮を、残った人間がせっせと包んでいくことになった。

まもりはできあがった餃子の皮を、一枚手に取る。

餃子の皮包みは、実家の母に教わったり、葉二がたまに作るのを手伝うことがあるが、なかなか神経を使う作業だと思う。

(えーっと、皮の真ん中にお肉の餡をちょっと入れて、周りにお水をつけて、ひだを作りながら畳んでいく……と)

あまりここで肉をよくばると、畳みきれなくて大変なことになるのだ。

以慧が麺棒で伸ばした餃子の皮は、すべすべとしてしなやかだった。一見均等なようで、皮の真ん中はやや厚く、端に行くにしたがって薄くなっていくので、包みやすいし破れにくいのだとわかった。

ようやく一個目が完成する。プリーツのフリルが可愛くできたてではないかと、出来映えに満足して横を見ると、葉二は三倍ぐらいの速度で餃子《ぎょうざ》を包んでいた。

「葉二さん、すごい早いですね——ってズルい！」

なんと餃子のひだを作らず、半分折りたたんだだけで綴《と》じてしまっているのだ。

「何がずるいだ。見ろ、仁那ちゃんだって同じやり方だぞ」

確かに彼女も、器用にスプーンで餡を皮に乗せ、半分に折りたたんで完成させているが三歳児だ。三十六歳児と一緒にしてはいけない。

「いやでもそれは、仁那ちゃんがお子さんだからで——」

「オヤジもお袋もそうだ」

「——ほんとだ！」

次々に実例を見せられ、まもりは足下からくずおれたくなった。

「……数の暴力。これが婚家のやり方なの……っ」

「水餃子なんだから、フライパンに詰めて焼くこともねえし、これで充分ってだけの話だと思うが」

そこで効率に全振りしてしまえる割り切りっぷりこそ、亜潟家のカラーではないか。

（くそー）

ここで折れるのもしゃくだったが、周りが高速で餃子を完成させていく中、一人もたもたとひだ入り餃子を作り続けるのもいたたまれなかったので、途中から同じやり方に切り替えた。

「……大人になるって悲しいことだね」

「意味がわからん」

全員で餃子を完成させると、大鍋に沸かしていたお湯も沸騰した。

作った餃子を鍋に入れ、ぐらぐら泳がすように茹でてザルに引き上げれば、手作り水餃子のできあがりだった。

生地を伸ばすのに使ったダイニングテーブルを、あらためて綺麗《きれい》に片付け、今度はほかほかの水餃子をどんと置いた。

「いやー……これだけ大量だと壮観ですねえ」

何せ仁那も入れて、七人分だ。

大皿の他に、各自の取り皿や薬味の皿もある。

薬味は以慧が言った通り、刻んだニラや青ネギ、パクチー、おろしニンニク、ごまにコショウに食べるラー油、辛子に七味に花椒《ホアジャオ》など各種取りそろえてあり、タレも調合した専用ダレの他、各自で調整したいという人のために醤油や米酢《よねず》、黒酢などの瓶もずらりと並べた。ちょっとした餃子バーやビュッフェ会場のようだ。

たかが餃子。されど餃子。気づけば大晦日《おおみそか》のメインを張るにふさわしい、豪華なテーブルになっていた。

「テレビは紅白歌合戦、肴《さかな》は水餃子か。なかなか風流だね」

辰巳が席につきながら、愉快そうに笑った。

「ここ数年色々あったが、こうして元気にみんなが集まれて、私はとても嬉《うれ》しいよ」

それは本当に辰巳の言う通りだと思う。体調や世情など、心配の材料はつきなかったけれど、希望は数年越しで叶えられた。

「さ、冷める前にいただこう」

ある意味それが乾杯の音頭で、みな箸を取っていっせいに食べはじめた。

（──わー、皮から作った餃子って、初めて食べるかも）

レンゲで取り皿によそった水餃子は、やや大ぶりで皮も市販のものよりしっかりしているように見えた。

まずはスタンダードな専用ダレに、青ネギとごまを少し振っていただいてみよう。

火傷《やけど》しないように気をつけてと思ったが、本体を少しかじっただけで、中から肉汁のスープがじゅわっと出てきて案の定火傷しそうになった。

しかし慎重に味わってみれば、このお味は——。

「おや」

「まあ」

辰巳と紫乃夫妻が、次々と目を見開いていくのも、納得だ。

「……皮が、めっちゃくちゃもちもちでおいしいです！」

まもりは開口一番訴えた。

小麦の歯ごたえと弾力が、いつも食べている餃子と比べて段違いなのだ。これが中力粉を水で練ったパワーなのかと思った。

白菜と豚肉の旨《うま》みもしっかり閉じ込め、一つ食べ終えた時の満足感がすごい。

「あー、これはご飯つけないのわかります……」

「でしょう？」

以慧がうなずいた。あちらの国では、餃子はおかずではなく主食だと聞いたことがあるが、この主張の激しい肉厚な皮なら納得だ。

「というか以慧さん、このタレがかなりいい感じなんですけど、何が入ってるんですか」

「向こうのメーカーで出しているものを、真似《まね》して作ったのです。お醬油《しょうゆ》とお酢と黒砂糖と、ごま油を入れて混ぜました」

「うちでも絶対やります。甘塩《あまじょ》っぱくてコクがあっておいしい……」

「シンプルに酢とコショウもいけるぞ」

そういう葉二は、念願かなって刻みニラとおろしニンニクをどばどばかけて餃子を食べている。嬉しそうだが後で死ぬほど歯を磨いてもらおうとまもりは心に誓った。

しかしタレや薬味が色々あるのはいいもので、一つ食べたらまた違う味を試せるので、餃子だけでも飽きが来ないのだ。

確かに醬油は足さず、お酢だけでお肉と皮の味を堪能《たんのう》するのも悪くない。まもりは米酢よりまろやかで、風味豊かな黒酢オンリーでいただくのがお気に入りとなった。

さあ次はなんの組み合わせにしようと考えていると、向かいの仁那が目に入った。

「あー、その餃子、わたしが包んだやつだね。ひだ入ってるから」

まもりは笑って言った。

彼女は子供用茶碗《ちゃわん》とプラスチックの矯正箸で、もぐもぐとタレのかかった水餃子を食べている。最初の方の無駄に手をかけたプリーツタイプの餃子は、まもりしか作っていないものだ。

「どう、餃子おいしい?」

聞かれた仁那は、急に苦いものでも食べたように顔を曇らせたあげく、横を向いた。

「……おいしくない」

「あら」

「まもりちゃん、きらい」

テーブルが一瞬、微妙な空気になった。

「も、もう。仁那ったら。そんな思ってもないことを言ったらダメです」

「おもってるもん」

以慧が慌ててフォローに入るが、そこではっきりとした態度を取ったのは香一だった。

固い音をたてて箸をテーブルに置き、いつもより低い声で一喝した。

「——パパは、そういう意地悪を言う仁那は好きじゃない」

仁那の大きな目に、みるみると涙が浮かぶ。

「謝りなさい。ごめんなさいは」

「あの、香一さん。わたし別にそんなに気にしては」

「……パパがあ、パパらいけないの……！」

「人のせいにするんじゃない。仁那の話をしてるんだ」

「パぁパぁらあ……！」

それ以上は、仁那も言葉にならないようで、怖い顔をして譲らない香一を前に、つっぷしての大泣きを始めてしまったのだった。

けっきょく。香一に叱られた仁那は、大泣きのあげくに泣き疲れ、以慧に抱かれてダイニングを出ていった。まもりは香一に謝られたが、微妙な後味の悪さはどうしてもあった。

食事が終わって、紫乃と一緒に洗い物を片付けるのを手伝いながら、ぼんやり考えるのだ。

まもりとて人間だ。特に理由もなく、なんとなくいけすかない相手というものがあるのはわかる。だがそうやってなんとなく嫌われたのが自分で、相手は年端のいかない子供というのは、なかなか悲しいものがあった。これまで比較的、年下や動物には同類扱いされて好かれる傾向があったからなおさらだ。

せめてもうちょっと、このユルい大福顔が嫌とか、ラッキーカラーと合わなかったとか、何がお気に召さなかったのか理由がわかればいいのだが。

(パパがいけない?)

なんだそれは。まもりが理由ですらないのか。

そもそも仁那は、香一のことが大好きなパパっ子ではなかったのか?

どうにも色々なことが引っかかって、すっきりしないのだ——。

「おい、まもり。風呂空いたぞ」

頭にタオルをかぶり、ジャージに着替えた葉二が現れた。

洗い髪の頭に、眼鏡をかけている。いかにも風呂上がりだった。

今日は人数が多いので、夕飯直後から、順番に入浴しているのである。

「あ、じゃあお義母《かあ》さん——」

「私はいいわ。後でゆっくり入りたいから」

「わかりました。ならお言葉に甘えて、お先にお風呂いただいちゃいます」

後は葉二にバトンタッチすることにし、まもりもひとっ風呂浴びてくることにした。

いったん二階に上がって入浴セットを取ってくると、再び一階に降りて、風呂場へ向かう。

（ほほう。こちらのお宅は、バスクリン派ですか——）

ちゃっちゃと体を洗い、ほのかに柚子《ゆず》が香る蛍光グリーンの湯船につかると、ここまでの疲れが取れるようで変な声が出てしまった。

極楽、極楽。

ちなみに川崎の実家は炭酸好きのバブ派で、神戸の自宅はその時々で増えすぎたベランダのミントだの薔薇《ばら》の花だのが投げ込まれる野生派の風呂であった。

最後はさっぱり生き返った気分で、風呂場を出る。

全身ほかほかのまま階段を上り、葉二の部屋に入浴セットをしまいに行こうと思ったら、廊下の真ん中に画用紙が落ちていた。

（なにこれ）

横の部屋を見れば——ドアが開いている。

確か香一たちが使っている部屋だ。パジャマ姿の仁那が、学習机に正座をして、お絵かきセットで絵を描いている。香一と以慧は不在のようだ。

「……仁那ちゃーん。これ落ちてたよー」

控えめに声をかけると、向こうは飛び上がらんばかりの勢いで振り返った。

大慌てで画用紙を取りにくる。

「……みた？」

「ちょっとだけ。ごめんね」

謝って作品を返す。

画用紙には、丸い顔に点のような目鼻、そしてクレヨンで塗り潰した胴体にひょろりと長い手足がついた、人とおぼしきものが二体描いてあった。なにぶん入園前の幼児の作品なので、それ以上の判別はさっぱりだ。

片方は胴体をピンクで塗ってあり、もう片方は緑色だった。楊枝《ようじ》のような手を、お互いつないでいる風に見えなくもなくて。

連れ去られる宇宙人《リトル・グレイ》でないなら――半分カンで聞いてみる。

「その女の子は、仁那ちゃん？」

「そう……」

すごいぞわたし。正解だ。

「もう一人とは仲良しこよしだから……わかった。仁那ちゃんのパパだ」

「ちがう」

容赦のない不正解ブザー。仁那の顔が険しくなる。

「パパのなかよしは、ママ。仁那じゃない」

「そうなの？　でも仁那ちゃんだって」

「仁那は、パパとけっこんできないの。ママとしてるから。だからなかよしじゃない」

「ご、ごめんね……」

大人なのにそんなことも知らないのかと、叱られてしまった感じだ。

「じゃあ仁那ちゃんが描いたのは……」

画用紙を胸に抱く彼女の顔が、悲しそうにくしゃりと歪《ゆが》んだ。

「まもりちゃん、きらい」

——ああ、そうか。そういうことか。

まもりも鈍いながらも、ようやく気づいたのだ。それは色々嫌にもなるかもしれない事情だ。

ヒントはたぶん、本日緑色のセーターを着ていたのが誰か、である。

＊＊＊

ぱちりと。

その夜、亜潟仁那は布団の中で目を覚ました。

天井の電気は母親の以慧に頼んだ通り、小さい豆電球をつけたままにしてくれてある。仁那が寝ているのは『じーじとばーばのお家《うち》』の布団で、いつも父と母と三人川の字で寝ている和室の布団とは違うものだ。

仁那は、むくりとその場に起き上がる。

（ママ……？）

夜寝る時は、いつも優しい声で絵本を読み聞かせてくれ、こちらが眠くなるまで背中やお腹《なか》をとんとんしてくれるはずの母。その母の姿が見当たらない。父親の香一の姿もだ。

しかし慌てる仁那ではなかった。

どうもいったん仁那を寝かしつけた後、仁那だけ置いてまた活動していることがしばしばあるようなのだ。それだけならまだしも、会社から帰ってきた香一と二人だけで、面白そうなテレビを見ていたり、何かおいしいものを食べていたりするのだ。以前コンビニのプリンを二人じめしていたのを偶然発見した時は、地団駄を踏んで悔しがったものだ。

（……おしっこいきたい）

亜潟仁那、三歳六ヶ月。すでにオムツは卒業し、つつましく恥じらいを知る乙女であるゆえ、寒いのを我慢して布団から這《は》い出《で》た。

二階のトイレをトラブルなく無事利用し、ほっと一息つく。

そこから一階に通じる階段をのぞき込んでみれば、下はこうこうと明かりがついていて、やはりみんな起きている気がするのだ。

――仁那だけプリンにありつけないのは、許せない。

忍び足で階段を降りた。

そっとリビングに通じるドアを開けると――予想に反して中は静かだった。

（あれ……？）

明かりこそついているが、いたのはソファで文庫本を読んでいた葉二だけである。香一にそっくりで、彼の弟だという『葉二くん』。

葉二は仁那と目が合うと、組んでいた長い脚をとき、優しい声で訊《たず》ねてきた。

「どうしたの。仁那ちゃんじゃないか」

「……ええと」

「喉でも渇いたのかな」

おしっこ行ってきた帰りですなど、この彼に向かって正直に言えるはずもなく、仁那はパジャマ姿でもじもじするしかなかった。

葉二は、そんな仁那も可愛《かわい》いとばかりに微笑《ほほえ》んだ。

すでにひとっ風呂浴びてジャージ姿だったはずなのに、またコンタクトを入れてダークグリーンのニットとスラックス姿に戻った矛盾など、仁那が気づくわけもなかった。

「おいで。何かあったかいものでも作ってあげようか」

葉二は手招きすると、キッチンカウンターの高いスツールに、仁那を抱えて座らせてくれた。

「ちょっと待ってられるかな」

仁那はうなずく。「偉いね」と、至近距離で頭をなでる仕草一つとっても、さりげなく優しいものだ。

冷蔵庫から卵を取り出し、手早く黄身と白身に分けると、卵黄に瓶詰めの砂糖を混ぜ、牛乳を少しずつ加えていく。

全て混ざりきったらミルクパンに移し、木べらを動かしながら弱火で徐々にとろみをつけていった。

なんだか甘くていい匂いがしてくる。

湯気があがってとろりとしたものをマグカップに移すと、「熱いから気をつけてね」とカウンター越しに出してくれた。

「うわあ……」

「エッグノックって言うんだよ。飲んだことあるかな」

仁那は首を横に振り、恐る恐るのぞき込む。

「──なかに、お花がはいってる！」

「乾燥したラベンダーだよ。食べてもいいし、残しても大丈夫」

「おひめさまのドリンクだ！」

花びらはディズニープリンセスのドレスのような、綺麗《きれい》な紫色だった。大好きなソフィアみたいだと、仁那はますます嬉《うれ》しくなった。

そのお姫さまエッグノック──仁那がたった今命名した──は、精一杯フーフーして飲むと、とろりと卵の味が濃い、本当に飲むプリンのような、温かくて優しい味がした。後からふわんと、かぐわしい花の香りも漂ってくる。

「おいしい？」

「すごく」

「よかった」

カウンターのダウンライトに照らされる葉二は、魔法でなんでも出せる魔法使い──いや、運命のプリンスに見えた。白菜の虫からも助けてくれたし、本当に素敵な人だ。

「よーじくん、かっこいい」

「照れるな。どうもありがとう」

「王子さまみたい。すごくすき」

　心からの告白のつもりだった。

　しかし彼は、少し困ったように端整な眉を下げてしまった。

「でもさ仁那ちゃん、本当はパパの方が好きでしょう」

　声は優しく、仁那を責める響きはなかった。

「違う？」

「……しょーがないんだもん」

「なんでしょうがないのかな」

「パパのお嫁さん、ママだもん」

　だからこそ、香一によく似ているが、香一ではないという葉二が現れた時、ぱっと世界が輝いた気がしたのである。

　だというのに――。

「僕にもいるよ、お嫁さん」

「ずるいよ」

「この世で一番、僕を助けてくれる人なんだ」

葉二はちょっと変なことを言った。

「……お嫁さんがたすけるの？」

「そうだよ。君のパパも一緒なんじゃないかな。ママと力を合わせて、大事な大事な宝物を守ってるんだ。つまり仁那ちゃんのことだ」

葉二は、人差し指で仁那の鼻の頭を、ちょんとつついた。

「質問です。仁那ちゃんは、香一パパの一等賞の宝物なのに、それでもやっぱりお嫁さんがいい？」

「……わかんない」

「それでいいよ。時間はあるから、ゆっくり考えな」

なりたいけれどなれなくて。あべこべな気持ちを抱えてきたのに、ここに来て本当にわからなくなってしまった。

まだ残っていたエッグノックを、舐《な》めるように少しずつ飲んだら、体がぽかぽか温まってきて、瞼《まぶた》も重くなってきた。

「……眠いか。まあラベンダーは安眠にも効くしな」

スツールの上で目を閉じたら、葉二が少し声色を変えて呟《つぶや》くのが聞こえた。

彼は仁那を、丁重に抱き上げた。いつも以慧や香一がする赤ちゃん用抱っこではなく、お話のプリンセスがしてもらうようなお姫さま抱っこで、二階の寝る部屋へ連れていってくれた。

彼にもまもりがいるから、仁那がお嫁さんになることはできないが、やっぱり葉二は王子様の素養があると思うのだ。

床の布団に寝かせてくれたので、その目を見て言った。

「……まもりちゃんに、きらいっていっちゃった」

「明日ごめんねって言えばいいよ」

そうなのか。それで許してくれるといいのだが。

「ねえ仁那ちゃん。こういう時は嫌いとかずるいじゃなくてね、もっと別の言葉があるんだよ」

なあにと聞いたら、葉二は特別優しい声で答えを教えてくれた。

「それはね――」

＊＊＊

――一方その頃。

まもりと香一夫妻が、壁一枚隔てた葉二の部屋で待機していると、ドアが開いた。

「お、来たか葉二」

「葉二さーん、おかえりなさーい」

「お疲れ様です」

話題の主が、物言わず歩いてきて、まもりがいるベッドサイドにどかりと腰をおろす。

「どうでしたか？　納得してくれましたか、仁那ちゃん」

「……とりあえず任務は完了」

「おお」

「目的は果たした」

葉二は喋《しゃべ》りながらシャツのボタンを外し、大きく首と肩を回した。側《そば》にいるまもりの耳にも、ボキボキと関節が鳴る音が聞こえたので、相当凝り固まっていたようだ。

「おい葉二。仁那を泣かしたりしてないだろうな。変なトラウマにさせたら」

「心配すんなよクソ兄貴。こういう時の俺は、この上なく紳士的だぞ。そっちと違って、伊達《だて》に猫育てちゃいねえからな」

香一は「落差がありすぎるんだよおまえは」と顔をしかめた。

「すみません葉二サン。仁那がご迷惑を」

「いいって。兄貴の代わりにされるのは慣れてるんだよ」

そうなのだ。仁那がお絵かきで描いていたのは、香一ではなくそっくりな葉二だったのだ。

「前に近所のお姉ちゃんから、お婿サンとお嫁サンの話を聞いて、ずっと憧れていたみたいなのです。こんなことになるなんて……」

「似てますもんねえ。見た目だけなら」

おまけに外面全開で接していたのだ、葉二の方は。

ようやくパパ以外に好きになれそうなお婿さん候補が現れたのに、相手にはまもりという先約がいて、三秒で失恋。おませな仁那ちゃんとしては、ふてくされたくもなるだろう。

なんとか穏便に気持ちの整理をつけてもらおうと、葉二に一肌脱いでもらったわけである。シナリオはまもりが簡単に作り、以慧と香一の親御さんチェックも入っているから、コンプラ的にも安心のはずだ。

「それにしてもお兄さんの代わりが慣れてるって……案外闇深くないですか葉二さん」

「おう。聞くか？　兄貴の外道っぷりと、俺の可哀想《かわいそう》な思春期」

「やめろ」

香一に止められた。真顔だったので、本当にやばい事案だったのかもしれない。

「まあでも、まんざらでもないだろ兄貴。けっきょくはパパ大好きって」

「今だけだろうけどな」

「鼻の下のびてるぜ」

葉二は葉二以上にフリーダムなはずの香一を、ここぞとばかりにいじれて満足そうにも見えた。

「そうだ葉二さん。魔法のお砂糖、仁那ちゃんに効きましたか？」

「ああ。効いた効いた。てきめんだったわ、ラベンダー・シュガー」

葉二にも太鼓判を押された。やはりそうかと思った。

まもりがこの部屋に持ち込んだティーセットのシュガーポットにも、同じものが入っている。

作り方は簡単で、自宅で収穫したハーブのラベンダーと、グラニュー糖があればいい。花穂を摘んでよく乾燥させ、密閉瓶の中でグラニュー糖と混ぜて香りを移せばできあがりだ。

お菓子や飲み物を作る時、ちょっと使うとラベンダーの香りとお砂糖の甘味が楽しめるという、文字通りの魔法のグッズなのだ。

「やった。絶対あれは女子の心に刺さると思ったの。とにかくお花が可愛《かわい》いし」

「香りも良いです……」

以慧がラベンダー・シュガー入りのミルクティーを手に、日向《ひなた》の猫のように目を細める。

エッグ・ノックにホットミルク、ラテや紅茶にと用途は広い。

今回紫乃や以慧たちへの手土産に持ってきたのだが、思いがけない形で役に立ってくれたようだ。

「兄貴の宝、か……」

「なんか言いましたか？」

「いや、別に。俺はどうなるかと思ってな」

何を心配しているのだろうと思った。

「お、十二時過ぎたわ」

不意に香一が、腕のスマートウォッチを見て呟いた。

(なんですと)

大晦日《おおみそか》にその情報は大変重要なので、まもりたちも慌てて時間を確認した。

「ほんとだ」

「新年」

「Happy new year」

「あけましておめでとうございます」

「こちらこそ」

義兄夫婦とパジャマ姿で頭を下げあったり、遅れて一階から上がってきた辰巳夫妻とまた同じ挨拶をしたり、そんな風にして新しい年を迎えた。

あけましておめでとう。今年もよろしく。

(それと)

お布団の中にいる仁那ちゃん。どうか良い夢を。


翌朝はお餅とデパートのお節で、華々しく元旦を祝った。

起きてきた仁那には、会うなりこっそり謝られた。

「ごめんね、まもりちゃん。仁那、まもりちゃんいいなーってうらやましかったの」

——これを言うのも、勇気がいっただろう。

(えらいね)

小さいのに筋を通せるのは、大した子だ。まもりはうなずき、もじもじする姪《めい》っ子と、ぎゅーっと仲直りのハグをした。

そしてお昼近くになると、亜潟三姉弟の長女、瑠璃子が顔を出した。

「お久しぶりー、みんな新年おめでとう」

「あけおめー」

「えっ、北斗君！」

なんと息子の北斗も一緒だった。

「うそー、来たんだ」

「うん。まもりちゃんたち泊まってるっていうからさ。顔出しとこうかなと」

今日の彼は、スタジャンの下に赤いトレーナー。

年の離れた長女の一人息子で、葉二の甥《おい》っ子である北斗は、気づけばすっかり逞《たくま》しい好青年に成長していた。今何年生かと思い、もう大学三年生だという事実に愕然《がくぜん》としてしまう。

まもりが最初に会った頃は、通っていた大学の付属中学生だったのに。

「どう、大学。キャンパスとかなんか変わった？」

「あ、講堂前のカフェテリアが改装中」

「そんな。休憩できなくなるじゃん」

「というか北斗、おまえ今年就活だろ。ちゃんと考えてるのか——」

「あーあー、叔父さんがうるせー。正月ぐらい夢見させてくれ」

北斗が鬱陶しそうに両耳をふさいで、背中を向ける。

そこで彼は止まった。

視線の先には、北斗以上に棒立ちの三歳児がいた。

小さな手から、ぽとりとぬいぐるみのウサギが落ちる。それでも彼女は、信じられないとばかりに大きな目を見開いて、北斗の顔を凝視している。

一言で言うなら、亜潟一族のイケメンの遺伝子は、非常に強いのだ。

辰巳と香一はそっくりだし、香一と葉二はそっくりだし、亜潟家の血を引く北斗もまたよく似ているのだ。違いは年ぐらいのレベルである。

「あ」

「あ」

「ああ……」

何かこう、色々腑《ふ》に落ちてしまった。申し訳ない話だ。

仁那の祖父母や両親、叔父夫婦がいっせいに呟《つぶや》く状況の中、北斗だけが何が起きているかわからず、「え？　え？」とあたりを見回している。

「仁那ちゃん。このお兄ちゃんはね、北斗君。仁那ちゃんの従兄だよ」

「ほくとくん……」

「よかったな。従兄妹同士なら法律でも堂々結婚できるぞ」

「いや、ちょっと待って叔父さん。何当たり前に話進めてるの。オレに相手がいたら失礼とか考えないの」

「いるのか？」

「別れたばっかっすけどね！」

「じゃあ」

「バカじゃねえの!?」

この恋が実るのは十数年後——などというのは、もちろん冗談だ。

その後の小話

つくばの実家で過ごした後は、その足で神奈川県《かながわけん》は川崎市《かわさきし》にある、妻の実家に顔を出した。

新年二日目。葉二《ようじ》は栗坂《くりさか》家の居間で、義理の父親である勝《まさる》と向き合っていた。

「──というわけで、今年もどうぞよろしくお願いいたします」

窓の外は、強い冬型の気圧配置のため、バケツの水が凍るほどの冷え込みだ。対してマンションの一室は、エアコンとこたつでのぼせるほどに暑い。

もとをただせばどこの馬の骨とも知れない、フリーランスのデザイナーだ。学生だったまもりと交際していた時分から、手放しで歓迎されていたわけではない。翻ってそれは彼女が真っ当な家庭で愛されて育った証《あかし》でもあり、葉二はまもりの両親が嫌いではなかった。

あれから時間をかけて、信頼を築いてきた自負もある。

しかし丁重に頭を下げた葉二に対し、目の前の勝の反応は、やや戸惑い気味である。

「いや……よろしくされるのはけっこうなんだが……なぜ君だけ？」

心底不思議そうに、首をひねられる。

「まもりは？」

「大学時代の友達と会ってくると言っていました」

湊《みなと》とお茶をしてから、合流するつもりらしい。こちらは泊まりの荷物が詰まったスーツケースを持って、一足先に妻の実家にやってきたという次第である。

「どうせなら用事はいっぺんに済ませる。合理的ですね」

「いいのかそれで……」

「結婚三年目ともなると、いろいろ雑にもなるってことね」

そう言って会話に加わってきたのは、台所から出てきたみつこである。

彼女は取り皿とレンゲを三人分置き、こたつに設置されたカセットコンロに火をつけた。

コンロの上には、沢山の野菜と魚介が詰まった土鍋が置いてある。

「来ない子にはあげないわ。せっかく静岡《しずおか》のおじさんから、海鮮鍋のセットいただいたのに」

「あ、お義母《かあ》さん。俺がやりますよ」

「いいから座ってて」

そのまま義理の両親と三人で、高い具材の鍋をつついた。焼津《やいづ》の漁港で獲《と》れた魚はさすがの旨《うま》さで、つまみに生の桜エビまで出てきたのだから言うことはない。わざわざ買ってくれたであろう瓶ビールが、婿の身としては泣かせてくれる。

「そういえば今年の箱根駅伝、律開大《りつかいだい》が出てましたよね。何十年ぶりかとかで」

「そうなの？　今何位？」

「テレビテレビ」

葉二が提供した話題で、急遽《きゅうきょ》チャンネルが変えられる。画面はトップ集団の争いが大写しで、そこにまもりの母校は入っていないようだった。

「……十一位、みたいですね」

「微妙ね」

「とりあえず応援しましょうか、律開大」

「まもりはいないけどな」

「あ、先頭転んだわ。がんばって」

葉二はこの年になるまで、マラソンや駅伝の楽しみ方がよくわからなかった人間だが、テレビから逐一流れてくる実況と解説を聞きつつ、発生するドラマをだらだら見守るのは意外に面白いことを知った。これにはこたつと温州《うんしゅう》みかんのオプションが最適である。

まもりは夕方近くになって顔を出した。

うまい海鮮鍋の一件で羨ましがらせてやろうと思ったが、電車で気分が悪くなったというのでそれどころではなくなった。

——思えばこの頃から、兆候はあったのだろう。

三章　湊、立ち退きとプロポーズの気配にうろたえる。

親友が西の港町から帰省したというので、正月休みがてら会うことにした。

三点ユニットバスの狭い鏡で、身支度を調えるのも日常の一部だ。持ち込んだメイクセットを広げすぎないよう、湊《みなと》は慎重に手を動かす。化粧と一緒にドライヤーやコテが使えれば楽でいいなと思うが、電源がないので諦めるしかない。あと口紅が床に落ちても泣いてはいけない。

（……あがー、やっぱちゃんとした洗面台欲しいさー）

姓は具志堅《ぐしけん》、名は湊。上京して変わった名字だと言われるようになったが、湊の故郷ではそこそこ普通のファミリーネームだ。沖縄人《ウチナーンチュ》らしい顔の濃さで、適当なメイクでもそれなりに塗って見えるのは得だと思っている。

最後に軽く唇の紅をティッシュで落とし、「よし」とうなずく。

「周《しゅう》ー。私ちょっとでかけてくる。まもりがこっち戻ってきてるらしいから」

玄関前でコートを羽織りつつ、同居人に報告をする。ちゃんと聞いているかどうかは、同居人の岩のように動かない背中からは判別不能である。この場合も泣いてはいけない。ティッシュ箱を投げるぐらいは許される。

玄関は、靴が三つも出ていればぎゅう詰めで、例によって湊のものではないスニーカーが出っぱなしだったので靴箱に押し込んだ。

（まったくもう）

ドアを開け、薄暗い共用廊下から階段を降りていく。

「――あ、ねえ具志堅さん！」

アパートの敷地《しきち》を出ようとしたら、後ろから人が追いかけてきた。

湊の母親世代より、少し上の女性だ。昔旦那が所属していた草野球チームのブルゾンを仕事着にしている、この物件の大家だった。

「よかった間に合ったわー。今年もよろしくね具志堅さん。今ちょっとだけいい？」

「……なんでしょう」

本当になんだろう。この時期に、彼女に声をかけられる理由がわからない。家賃は滞りなく引き落とされているはずだし、消防点検はもう少し先だ。

「この間の件ね、考えてみてくれたかしら」

「……この間？」

「あら、聞いてない？　同居の小沼《こぬま》さんには、軽くお話ししてあったんだけど」

「す、すみません。仕事がたてこんでおりまして」

「大丈夫？　ちゃんとコミュニケーション取れてる？」

「ええご心配なく」

湊は愛想笑いを維持したまま、心の中で同居人の頬をはたいた。こういう人に、勘ぐりの隙を与えるなというのだ。

「で、ご用件とは」

「それがねえ、やっぱり壁紙張り直すぐらいじゃダメみたいなのよ、田中《たなか》さんの部屋」

——ことの始まりは、二週間ほど前に遡る。関係者の間で『悲しみの天ぷら事件』と呼ばれているものだ。

この小山荘《こやまそう》一〇三号室に入居していた田中さん、三十二歳食品メーカー営業は、忘年会のビンゴで手に入れた高級車エビを自宅のコンロで揚げていた。直後にかかってきた取引先からのクレーム電話に対応しているうちに、エビは焦げ、天ぷら油から出火し、気づけば台所設備の大半が焼け焦げるボヤ騒ぎに発展していた。

幸い田中さんに大きな怪我《けが》はなかったが、この一件に心を痛めた田中さんは故郷に帰って家業を継ぐことにしたらしい。

「ですよね。けっこう派手に消火作業してた気が……」

「キッチンの流しと吊《つ》り戸棚を丸ごと入れ替えて、レンジフードも天井のボードも交換。あと床と壁紙も。隣の和室もそのままじゃ人に貸せないし」

「大変ですね」

「だからねえ、もういっそ全部取り壊して建て直そうかと思うのよ」

大家さんは、ふくよかな頬を手でおさえながら語ったのだった。

その後、電車で待ち合わせ場所に向かっている間も、ずっと大家が話したことを考えていた。

今いるアパートは、湊が大学二年の春休みに借りたものだ。とにかく住んでいた学生寮を出たくて、当時ケンカしていた彼氏と、復縁の勢いのままゴーゴーと契約してしまった板橋《いたばし》の2DK。契約の決め手は、とにかく大学に近かったから。

築四十年越えの木造モルタル二階建ては、付け焼き刃のリフォームと昭和レトロという言葉でごまかすにしても、かなり老朽化していた。田中さんの件を抜いても、部屋は全部埋まっていなかったのではないだろうか。

『もちろん入居者さんとの同意が大事だから、こうやって一部屋ずつ聞いて回ってるの。同意してくださるなら、立ち退き料も少しだけどお支払いするわ。ね、考えてみて』

（どうしようかな。確かこういうのって、よっぽどの理由がなきゃ、店子《たなこ》をむりやり追い出すとかできないんだよね）

日本の法律は、貸し手よりも借り手に強い。部屋の一部が使用不能になっただけでは、全部屋の住人に立ち退きを強制するとしても時間がかかる。大家が言うように、『話し合い』で穏便に解決するのが現実的なのだろう。

卒業してもまだあの部屋に住んでいるのは、お互いの新しい職場にもまたそこそこ便がよかったからだ。慣れない社会人生活に忙殺され、引っ越しする理由も気力も見つからず、ずるずると今日まで来てしまった。

しかし繰り返すが、あの部屋はぼろい。

（古いし、収納追いつかないし、お金貰《もら》って引っ越したらもうちょっと快適になるんじゃないの……？）

たとえば独立した洗面台とか、オートロックがある部屋。シューズインクローゼットなんてもう、響きだけで白飯が進んで夢は膨らむ。

新しく住むならどこにしようと、電車内にある路線図を見上げていたら、目的の駅に到着していた。湊は慌てて、閉まりかけのドアからプラットホームへ滑り込んだ。

——危なかった。

とりあえず立ち退きの件は、横に置いておこう。今はまもりに会うのが優先だ。

まもりは茨城《いばらき》にある葉二《ようじ》の実家から直接やって来るらしく、つくばエクスプレスの沿線がいいだろうと、待ち合わせ場所は浅草《あさくさ》にした。

TXの浅草駅地下一階、改札前にてまもりを待っていると、「湊ちゃん！」と懐かしい声がした。

エスカレーターで改札階まで上がってきた乗客の間から、湊の知る丸顔が近づいてくるではないか。

「まもり！」

栗坂《くりさか》まもり——いや、今はもう亜潟《あがた》まもりか。やや甘めのデザインのコートに、カフェオレ色のラップスカート。原色は避け、ナチュラルな雰囲気の服が好き。着るものの傾向はあまり変わらないようだ。湊は正反対で、パステルカラーで顔が土気色に見え、大ぶりのアクセサリーでないとつけているかどうかわからなくなるタイプだ。

大学時代を共に過ごした友人は、感激に頬を紅潮させ、ショートブーツの足を速めた。湊もその場で両手を広げた。

自動改札に、ＩＣカードをタッチ。感動の抱擁まであと少し。

「あれっ？」

「まもり！　料金不足！　チャージチャージ！」

びこーんと扉が閉まって、まもりが精算機に引き返した。なんだかこんなのばっかりだ、私たち。

「……あー、あせった。『ICOCA』が使えないのかと思ったよ」

ショルダーバッグに西日本旅客鉄道が発行している交通系ＩＣカードをしまいながら、まもりがぼやいた。

（『Suica』じゃないんだ）

こういうところで、彼女がふだん関西暮らしをしているのを実感してしまう。毎日の通勤も、神戸線《こうべせん》で梅田《うめだ》まで行っているらしい。

気を取り直して、地上へ出る。

正月二日目の浅草界隈《かいわい》は、浅草寺《せんそうじ》への初詣と、仲見世《なかみせ》の初売り、演芸ホールの正月興行目当ての客でかなりの人混みだった。

「どうする、うちらもお寺さんにお参りしてく?」

「んー」

まもりは思案げな顔をした。

「このあと、実家のお大師様《だいしさま》にも寄るつもりだからいいよ」

「わかった。じゃあ食い気重視で行こう」

「対話重視って言ってよ」

大した差はないだろう。小娘のように大笑いしながら、おいしいと噂《うわさ》の甘味処《どころ》ののれんをくぐった。

おおまかにくくれば『本好きの文学部生』ぐらいしか共通項がなかったまもりと、学生時代一番気が合ったのは、好奇心旺盛で笑い所が似ていたからだと思っている。理由もないのによく一緒にいた。

まもりはメニューから御膳しるこを頼み、湊は杏《あんず》みつ豆を注文した。

「今日、亜潟さんは?」

「先に川崎《かわさき》まで行ってもらってる」

「そっか。どう、まもり。こっちに帰ってくるのも久しぶりでしょ」

「そうだねえ」

こちらとしては、まもりが生まれ育ったホームグラウンドの空気を吸って、心機一転リフレッシュできたなら良かったと思ったのだ。

だが友人は店内の和な内装を眺めながら、感慨深そうに息を吐いた。

「とりあえず、旦那の実家で嫁修行ミッションは終わらせてきたとこだよ」

「嫁修行……」

「まあ、あんまり大したことはできなかったけどさ。お姑《しゅうとめ》さんも義理のお姉さんもいい人だから、色々大目に見てもらった感じかな。はは」

旦那の実家。嫁姑に義理の姉。湊には縁のないワードばかりだ。台湾《たいわん》出身のお義姉様《ねえさま》の指導のもと、七人がかりで餃子《ぎょうざ》を作ってきたらしい。

「なんで大晦日《おおみそか》なのに餃子……」

「そういう風習なんだって」

湊はまじまじとまもりを見た。

「湊ちゃんは、沖縄《おきなわ》帰らなくていいの？」

「私は……旧盆の精霊送り《ウークイ》には顔出したからいいんだ。部活の指導もあるし」

「そっかあ。高校の先生も大変だね」

感心してくれるが、単に独身で気楽だからとも言う。地元にいるのは、気心の知れた友人や親戚ばかりだ。

対してまもりと来たらどうだ。なんだかしばらくリアルで会っていないうちに、オーラが変わってきていないか？　既婚者の風格というか。

見た目はのほほんとして、変わったのは髪の長さぐらいかと思っていたのに――。

「葉二さんも相変わらず仕事ギューギューでさ。わたし、止まったら死ぬマグロと結婚しちゃったのかな」

「……まもり。あんた、ほんとに人妻になっちゃったんだね」

「は、はあ？」

「いやだって、目下《もっか》の私の悩みなんて、アパートの立ち退きどうするかと、肩こり腰痛ぐらいだし」

寝て起きて労働して。己のことだけ悩んでいればいい自分と、そうではないまもりと。差は歴然としていた。

「それに比べるとまもりは立派だよ。なんかちょっと置いてかれた気分……」

「そんな大げさな話でもないと思うんだけどな……」

「私から見たらマジで異世界。おつとめご苦労様です」

まもりは困惑気味に、運ばれてきた御膳しるこを口に入れた。

「アパートの立ち退きって、あの板橋のアパート？」

「そ。前にボヤ騒ぎがあったのは、話したでしょ。それで大家さんは、いったん住人を追い出して、アパート全体を建て直したいみたい。モダンでシャレオツなのに」

「それこそ大変じゃん」

「まだ打診の段階だけどね。住人全員の同意取りつけてからじゃないと、工事の時期も決められないだろうし」

そういう湊も、アパートの契約更新は来年のはずだった。しかし気持ち的には、おとなしく出ていくことに傾いている。

年度末を前に、不動産屋を回って引っ越し作業は死ぬ気がするが。こんな機会でもなかったら、腰の重い人間はいつまでも不便なぬるま湯につかって抜け出せない気がするのだ。

そういうことを、おいしいみつ豆をつつきながらまもりに話した。

「なるほどねえ」

「むかつくのは周のやつさー。事前に大家さんから話聞いてたみたいなのに、なんにも教えてくれないから恥かいたわ」

「それは小沼君なりに悩んでたからじゃないかな」

「悩むって何を」

「ほら、どんなタイミングで湊ちゃんに切り出して、プロポーズに持ってこうとか」

——ぽろりと。

「は、はあ？」

湊のスプーンから、みつ豆のシロップ漬け杏がこぼれ落ちた。今度はこちらが変な声を出す番だった。

「なんでそうなるの」

「え、そんなに変かな。だって籍入れたり一緒になろうってなるの、引っ越しとか就職とか、そういう大きいことがきっかけになることが多いじゃない」

そういうものなのか。

「うちも旦那さんが事務所立ち上げて関西行くっていうから、じゃあついてくのに結婚するかーって感じだったし」

「考えたこともなかったわ……」

「湊ちゃんたちつきあって長いし、小沼君は湊ちゃん大好きだし、ピンチをチャンスに一歩前進とか大ありなんじゃないかな」

のんびりした人妻は、色々含蓄深い知見を授けてくれたわけである。


まもりとは、もう一軒カフェを梯子《はしご》して、お腹《なか》がたぷたぷになって別れた。

ここから川崎に向かうまもりと、板橋に戻る自分で、乗る路線が別々だったので仕方ないが、別れ際に「お茶飲み過ぎたかも……」とやや調子が悪そうにしていたのが、気がかりと言えば気がかりではあった。やはり送っていくべきだったか。

(大丈夫かな、まもり)

確かに彼女が言う通り、無駄に交際期間が長い相手ならいる。

大学一年の途中からつきあい始めて、気づけばもう丸六年を通り過ぎて七年目に突入してしまった。サークルも四年間一緒だったから、夫婦だ旦那だと当てこすられるのもよくあった。

(プロポーズってさあ、そりゃ亜潟さんが相当年上だったからってのもあるんじゃないの？)

似たような時期につきあいだしたまもりは、とっくに結婚して奥さんになってしまったわけだが。それが湊に当てはまるかと言われれば、話はまた別なのだ。

アパートの鍵を開けて中に入ると、また湊が履かない靴が出しっぱなしになっていた。しまえやこの野郎。

そして、台所と居室を隔てる引き戸が閉まっている。


『収録中！』


チラシの裏に書き殴った警告文が、その戸にセロテープで貼ってあった。

耳を澄ませば、中から声が聞こえてくる。

『……はい、どうもこんにちは。今日のチャレンジSちゃんねるは、お正月らしくメーカー別にどのお餅が伸びるか検証してみようと思います！』

湊はコートを着たまま、寒いビニールクロス張りの台所に突っ立って、ずっと収録が終わるのを待ち続けた。

待って待って待ち続けて、中から脳天気な声が聞こえてこなくなるのを充分確認してから、湊は口を開いた。

「周ー、終わったー？」

「あ、湊？　いいよいいよ今終わったとこ」

引き戸の向こうからOKが出たので、湊は遠慮なく戸を開けた。

そこには『こたつの上でトースターで焼いた餅を複数伸ばして定規で測る』という、目も当てられない馬鹿行為をした跡が残っており、それをやった同居人がライトやWEBカメラを片付けているところだった。

（食べ物粗末にすんなよ）

見てくれ親友よ。こいつがプロポーズなぞ高尚なことをすると思うか。ただのあほんだらですぞ。

小沼周。同い年の二十五歳。

昼間は映像製作会社でテレビの再現VTRなどを作り、休みの日には自前で変な番組を配信するユーチューバーをやっているのだから、つくづく『なんか撮る』のが好きな奴なのだと思う。

「あのさ、配信で小遣い稼ぎするのはいいけど、一応ここ私の部屋でもあるわけ」

「そうだな」

「自宅で隠れて副業やってるなんて誤解されたら、超迷惑なんだけど」

こちらは腐っても公務員なのである。なにかの拍子に「あっ、これ具志堅先生の部屋だ！」などとならないとは限らない。

恐ろしいことに周の『チャレンジSちゃんねる』は、若い子世代でそこそこの人気があるようなのだ。

「そんなの、同居している身内の仕業ですとでも言っとけよ」

——この言い分に、一瞬でも『うっ』と詰まってしまったのは、直前に結婚話なぞしてしまったからかもしれない。

それはまもりの言うところの、これを機会に戸籍を統一とか、ピンチをチャンスにとか、そういう流れなのか？　本気で役所に住所変更と、婚姻届のコンボを決める気か？

「ほら、兄貴がやったとか弟がやったとか、言い訳なんていくらでもたつだろ」

——ああ、そういう意味の身内ね。

動揺しかけた自分にむかついた。さすがはボヤ騒ぎの時に、湊を置いて消防車を見に行った男である。

「……あんた別に弟でも兄でもないし」

湊は低く言ってコートを脱ぐ。

「そりゃそうだけどさ。物は言い様ですよ」

「百万歩譲って弟はギリありでも、兄だけはありえない」

「俺の方が誕生日早くなかった？」

「私は予定日過ぎて生まれたさー！　普通だったら私の方が姉だから！」

「ひでぇ理屈」

つきあって六年ちょっと。同棲《どうせい》そろそろ五周年。

まもりは『小沼君は湊ちゃん大好きだし』と簡単に言うが、実際のところはよくわからない。自分の気持ちもぼやけるぐらいの時間が過ぎた。

何事にも期限があるというのは、食や住居だけでなく人間関係にも当てはまるのかもしれない。

「大家さんから、ここ取り壊す話聞いたんだけど」

「いやー、無理だろ。更新料払ったばっかの人もいるだろうし、素直に全員出てくとは思えない」

「なんで教えてくれなかったわけ!?」

「んな怒るなよ。ちょっと言いそびれただけだよ。こえーなー」

信じられるものか。

なんだか最近この関係はただの惰性か、腐れ縁のようになっている気がしなくもないのだ。

＊＊＊

湊の勤務先は、豊島区《としまく》にある都立高校だ。

全日制のみだが商業科の学校なので、普通教科を教える枠はそれほど多くはない。

共学とは名ばかりで、見渡すかぎり女子ジョシ女子の群というのが、新卒で赴任してきた湊の感想である。


「――具志堅先生。今夜ちょっとつきあってくれたりしない？」


職員室でそんな誘いを受けたのは、三学期が始まってすぐのことだった。

声をかけてきたのは、湊より四つ上で音楽を教えている女性教員である。

(寺内《てらうち》先生)

教科は違うが教職員の中では一番年が近く、ぺーぺーの湊を何かとフォローしてくれた先輩である。サシ飲みの誘いは珍しかったが、湊は一も二もなくうなずいた。

「もちろんです。是非お供させてください」

この日ばかりは、残業するまいと心に誓った。

しかし、二人で行った池袋《いけぶくろ》のダイニングバーで、湊が聞いたのは衝撃の告白だった。

「え——寺内先生マジで辞めちゃうんですか」

思わずワイングラスが、手から落ちそうになるというものだ。

寺内はフレームレスの眼鏡を押し上げ、化粧気の薄い顔をわずかにほころばせた。苦笑に近いものだったと思う。

「しかも今時寿退職って……なんのための公務員ですか」

「しょうがないのよ。彼が地方に転勤になっちゃったから」

「いやでももったいなさすぎですよ……」

仕事熱心で、理想の教員と勝手に思っていた。彼女が辞めるなんて、学校の損失。いや教育業界の損失だ。国会は何をしている。

「教えるのは好きだから、向こうでも試験を受けて、採用してもらえたらまた先生になろうと思うわ。それで許してくれない？」

「寺内せんせえ……」

湊は泣きたかった。

本来彼女が湊の許しなど必要ないことぐらい、湊とてよくわかっている。それでもあえてこう言ってくれるのが、彼女なりの優しさだ。そういうところが好きだったのだ。

「わだし、寺内先生から教えてもらったことだくさんあります……っ」

「私も具志堅先生と仕事するの、すごく楽しかったわ」

ああ本当に悲しい。湊はおいおい泣いて、その日はしょっぱい涙酒になってしまったのだった。


サシ飲みの場が解散となり、視界に一階の一部が焼け焦げたボロアパートが見えてくる頃には、こちらの感情もむなしい悲しいを通り越して腹がたってきてしまった。

何も言う気になれず部屋の風呂場へ直行し、バスタブの中で頭から熱いシャワーを浴び、寝間着のスウェットに袖を通して髪を乾かす。フリーの電源が台所にしかないので、ドライヤーは流しの近くで使うしかない。

すでに帰宅した周が布団を敷いてくれていたので、ふてくされた気分のまま大の字になった。

（……結婚がなんぼのもんじゃい）

まったくもう。

こんちきしょうめ。

率直にまとめるとそんな感じである。

まもりといい寺内といい、どうして結婚するとなると、今あるものを全て投げ出して、男側に合わせるような選択をしてしまうのだ。それが結婚というものなら、湊は絶対にそっちの道は選ぶまいとまで思った。

「周ー。なんかいい映画ない？」

「いい映画って、どんな映画」

「くだらなくて頭使わなくて血がドバドバ出るやつ」

「はいはいちょい待てよ」

布団の上でノートパソコンをいじっていた周は、作業の手を止めて配信サービスから適当な映画をチョイスし、この家で一番存在感があるダブルスピーカー装備のごついテレビに映してくれた。

周はこういう時、どんな無茶ぶりなリクエストでも対応可能なのがいいと思う。

（ほんとくだらないわ）

始まったのはお望み通り、頭に一ミリの負荷もかからない、しかし血糊《ちのり》だけは景気がよさそうなC級ホラー映画だった。パーフェクトだミスター・コヌマ。布団に寝っ転がって鑑賞しながら、これが幸せじゃないならなんなのよと思うのだ。

いいじゃないか別に結婚なんてしなくても。

ちゃんと仕事があって寝る場所があって、よくも悪くも気心が知れた相手とだらだら観《み》たい映画を観て寝落ちする。私はそれ以上何もいらないし、求めるつもりもない。

本当に充分なのだと——。

「……何やってんの、周」

ふと気づけば。

薄暗がりでゾンビがショットガンを食らっているのとは対照的に、同居人の周が湊の手に触れていた。

それは恋人らしいスキンシップの一環というよりは、手に持ってつらつらと検品するような感触で、余計に意味がわからなかった。

「俺もまだ自信ないんだけどさ。色々考えたら、こうするのが一番いいんじゃないかと思って」

「何？」

「湊ってさー、指輪のサイズとかいくつ？」

画面いっぱいのゾンビ。急に大きくなる効果音。心拍数が一気に跳ね上がる。

「……そんなのどこにつけるかにもよるし」

「あ、だよな」

「指ごとに全然違うし。右と左でも差はあるし」

ゾンビと字幕に意識を集中し、棒読みするのが精一杯だった。周が触っているのは、湊の左手だった。

「んー、そうかそうだよな。やっぱ通販は難しそうだな。今度暇な時につきあってくれよ」

本気か。本気なのか小沼周よ。

「……暇なんてそんなないよ」

「できた時でいいから」

湊は体勢を変えるついでに、周から手を引き抜いた。

心臓がまだばくばく言っている。

けっきょく主人公たちが迫り来るゾンビの群からどうやって逃げおおせたのか、肝心の部分を見逃してしまったようでよくわからなかった。しかしこれは脳みそを働かせる必要がないC級ホラー映画なので、もとより筋などあってないようなものだから問題ない。本当にこの世に無駄な映画などまったくないのだ。ビバ。

湊『というかさ、その程度の知識でエンゲージリング通販するつもりだったのかって話さー！　ねえ！』

まもり『まあまあ落ち着いて』

これが落ち着いていられるか。

翌朝の通勤電車に揺られながら、湊は憤りを神戸《こうべ》の友人にぶつけていた。学校の出勤時間は一般的な企業よりも早いので、友人はまだ自宅だろう。

湊『センスがおかしいと思ってたけど、これほどとは』
まもり『小沼君らしいじゃん』
湊『そもそもプロポーズなのかあれは』
まもり『そこは疑っちゃ可哀想《かわいそう》だと思う』

そうか。疑ったらダメ級か。

そして展開的に、湊は了承したことになっているような気もする。何度思い返しても、嫌だとは言っていないし。いいとも言っていないが。

（えー、ちょっと待つさー。マジかー）

するのか、結婚。タキシードとウエディングドレス着て。バージンロード歩いて。もしもし小沼さん家の奥さんとか呼ばれちゃうのか。いいや待て、そこで当然のように小沼姓を選択するのは、平等の観点でどうなのだ。というかそんなに貯金していたのか、あのちゃらんぽらんは。『チャレンジSちゃんねる』特需か。

まもり『あ、ごめん湊ちゃん。わたし、そろそろ出ないと』

湊『早出？　忙しい時にごめん』

まもり『ちょっとね。半休で病院行くつもりなんだ』

思いがけない答えに、一瞬時が止まった気がした。

湊『……大丈夫？』

まもり『んー、病気じゃないような気もするんだよね。それを検査ではっきりさせたいと

いうか』
湊『無理はしないでね』
まもり『ほんとほんと。じゃね』

明るく手を振るスタンプで、テキストのやりとりは終了となった。

（本当に大丈夫なの）

前に会った時も、最後の方はなんだかふらふらしていた気もする。あれで自分の不調は、気づきづらいタイプなのだ。本人が言う通り、大したことがなければいいのだが。

スマホを握ったまま気を揉《も》んでいると、入れ替わりでメッセージの新着があった。

相手はまもりではなかった。


周『マーベルの新作が俺を呼んでいる！　今日仕事終わったら湊もどうだ？』


——のんき者にもほどがある。

何そのスパイダーマンのゴムマスクは。会社行く前に自撮りしたの。馬鹿じゃないの。一緒に投稿された写真に突っ込みが追いつかない。

いったい誰のせいで、こんなに悩んでいると思っているのだ。湊の中で何かがぷつんと切れた気がして、スマホを通勤鞄《かばん》に突っ込んだ。さあもう、仕事だ仕事！

＊＊＊

「豊太郎《とよたろう》のこの決断は、今の価値観で見るとあまり受け入れられないかもしれません。ですが富国強兵で列強に追いつけと沸く明治日本を出て、西欧の自由主義に触れた彼がエリスを通じて解放され、そして最後は旧来の思想に飲み込まれて負けた——と考えるとまた違った趣が出てくると思うんですよ」

湊が壇上で喋《しゃべ》っていると、授業終了のチャイムが鳴った。

「それじゃ、今日はここまで」

起立、礼の挨拶がすかさずかかる。直後に教室内の空気が一気に緩み、湊は板書をクリーナーで消していった。

森鷗外《もりおうがい》の『舞姫《まいひめ》』は明治のテキストとしては素晴らしいと思うが、思春期のお嬢さん方にそのまま読ませるには色々と問題がありすぎて、つい言い訳がましくなってしまうのが玉に瑕《きず》だ。

(映画見せても、ブーイングがすごかったからなー)

まあ無反応よりは、どんな形でも刺さる方がずっといいと思う。クズを楽しむことこそ文学だ。

「ねえ具志堅せんせー」

生徒の一人が教卓に近づいてきて、湊に声をかけてきた。

「何？　授業わからなかった？」

「そうじゃなくて。ちょい噂《うわさ》で聞いたんだけどさ、寺内先生、二月いっぱいで辞めちゃうって本当？」

――いったいどこから出回ったのやらと思った。

湊は、精一杯平静を保って言った。

「……さあ。先生は、はっきりしたことは聞いてないから」

「そうなの？　本当ならショックだなーって思って。卒業式までいないってことだよね」

嘘《うそ》ではない。退職の時期までは聞かされていなかった。

(二月)

そんなに急いで、逃げるように職場を去らなくてもいいだろうに。お相手の『彼』の事情があるのかもしれないが、辞めるとなれば時期の悪さも引き継ぎの問題も、些細なことなのだろうか。

あなたが築いてきた信頼、湊では到底追いつかないもの、それを全部みんな置いていくのか。愛のために。残される側の気持ちなど、きっとわかった上でのことだろう。

「寺内先生が顧問やってる吹部《すいぶ》の子たち、みんな泣いちゃうよ。次こそ全国とか言ってたのに」

「まだ噂なんだから、あんまり触れ回らない方がいいわよ」

憧れていた。尊敬していた。でも去り方だけがほんの少しだけ美しくなかった。ただそれだけの話。

こうやって当たり障りのない曖昧な回答をして、いざ事が公になった時、きっと生徒と一緒になって初めて知った顔をするのだ。そういう自分が正しくて真っ当で、少し嫌だなと湊は思った。


小沼周の職場は新宿《しんじゅく》にあり、三丁目のバルト9というシネコンに行くため、新南口で落ち合うことになっていた。

急な低気圧なみに気分が下降気味だったので、相手が誰であろうと終業後に予定が入っていて良かったと思う。緩急なしのド派手なハリウッドアクションも、こういう時にはうってつけだろう。

同居人はジーパンOKのかなり緩い会社に勤めているので、並んだ時の格好は、湊の方が堅いぐらいだった。

「よ。お疲れ」

「席は取ってあるんだよね？」

「あるある。大丈夫」

喋りながら歩きだす。

「始まるまで、ちょいと高島屋覗《のぞ》いてもいい？　買いたいものがあるんだ」

「……いいけど別に」

周は素直に甲州街道《こうしゅうかいどう》を進まず、近くの百貨店を指さした。湊も特に異論はなかったので、気の早いバレンタインフェアがショーウィンドウを飾る店のドアをくぐった。

まずはエレベーターに乗り、四階で降りた。

（……紳士服、婦人服フロア。服買うのか）

メンズにしたって高いそこのフロアの服と思ったが、先導する周は服に目もくれず、売り場の通路を歩いていく。その先にあるのは、ショーケースに入った腕時計売り場だ。

「たっけーなー」

通りすがりに冷やかしで眺めはするが、やはりそこも本命ではないようで、さっさと通り過ぎていった。

そして今度は、きらきら光る宝飾品コーナーが近づいてきたので、湊はつま先から衝撃が這《は》い上《あ》がってきて悲鳴をあげたくなった。

（ジュ、ジュエリーサロン——っ！）

指輪か。やっぱりそうなのかおい。

やめてくれ。私はまだなんの覚悟もできていないんだ。バージンロードもゼクシィも嫁姑《しゅうとめ》もさっぱりだ。自分が違う自分になりそうで不安な気持ちをどうすればいい。きらきらの指輪も、ひらひらのウエディングドレスも、ただ信じてしまえば幸せになれるのかもしれない。でも私はまもりのようにはなれそうにないのだ。

「無理！　できないよ周！」

湊はとっさに、周の腕にしがみついていた。

「は、湊？」

「だって私、私、周のママすっごい苦手さ——っ!!」

全体にシックで落ち着いた四階の売り場全体に、己の絶叫が響き渡った。

各テナントの売り子や、まばらにいた客が、もれなく湊たちを振り返った。

「大学一年の時にあんたの家の前で顔合わせたでしょ、『あーら沖縄の田舎娘がこんなところで何かご用かしら』って感じで笑いながらメラメラされて、もー絶対合わないって骨身に染みてるの！　無理！　ぜったい無理！」

「……いや待て、落ち着け湊」

「あんたの妹もすっさまじいブラコンだし！　私絶対恨まれてるって！」

「本気で落ち着け。なんで風呂の掃除ブラシ買うのに、俺の家族のことを叫ばれなきゃならんのよ」

周にむりやり引き剝がされ、それで湊は我に返った。

風呂の——掃除ブラシ？

「ハンズなら色々あるはずだろ」

彼が言って指さしたのは、ジュエリーサロンのさらに向こう、内装からして機能性あふれたホームセンター的売り場であった。

こちらの階で売っているのは『台所用品、風呂・トイレ清掃用品、洗濯用品』らしい。

ユニットバスの掃除は周に課せられたあまり多くはない家事当番の一つなので、彼が興味を持つのもおかしくはない。全然おかしくはないのだが。

湊は呆然《ぼうぜん》としたまま言った。

「婚約指輪選ばされるのかと……」

「はあ?」

——どうもお互い、大きな見解の相違があるようだ。

もう映画を観《み》る気分でもなくなってしまったので、そのまま電車に乗って家に帰った。

こんなこと、長いつきあいで初めてであった。

部屋が寒かったのでエアコンとこたつのスイッチを入れて、それから周と差し向かいで、思っていることを話した。

向こうは聞いている間、『いやいやいや』『そりゃねーよ』『おいおいおい』と合いの手を入れたくてたまらなかったようだが、なんとか耐えたようだ。

「……えーと、つまりこういうこと? 俺はいつの間にか、湊にプロポーズしたことになっていたと」

「それで昨日の今日で指輪売り場に連れてかれるから、焦っちゃって……」

「ないわー」

すごくないわーと繰り返して、周がこたつの天板につっぷした。

「つかさ、湊は結婚したいわけ」

「あんまり。考えたこともなかった」

「だよな。俺もものすごく青天のヘキレキだわ。すっげびっくりした」

なんだ。周も結局一緒ではないか。

どちらも結婚のけの字も意識していなかったのに、どうしてこんなことになってしまったのか。

「……まもりがさあ、結婚話が動くのは、引っ越しとか就職とかそういう大きい変化がある時だとか言うからさ」

「それって、単に栗坂の場合がそうだったってだけだろ？　俺と亜潟さんじゃ、年齢も稼ぎも状況も全然違うだろ」

「私もそう思ったんだけどねえ……」

恐るべしだ、ウエディングマジック。

「こういうのは、たぶんどっちかが結婚したくなる年とかになったりして、嫌でも話が転がってくもんじゃねえの？　真也《しんや》とかそれで腹くくったみたいだし」

「あ、決めたんだピョン吉《きち》先生」

懐かしい友人の名前を聞いた。彼も年上の美人OLと、けっこう長いつきあいのはずである。

周は頬杖《ほおづえ》をついたまま、屈託なく笑った。

「うちは今んところ、その気は全然ないんだから、無理する必要ないだろ」

「だよね……」

人は人、自分は自分だ。それぞれにはそれぞれのペースがある。

当たり前のことなのに、ちょっとしたことから自分を見失ってしまった。情けない。

「——え、でも待って。だったらなんで指輪のサイズなんて聞いてきたの」

湊は危うく納得しそうになって、慌てて聞いた。そこをうやむやにしてはいけない気がするのだ。

「それはだなー、こいつが利用できないかって思っただけだよ」

「ひっ」

思わず息をのんだ。

周が通勤用のリュックサックから取り出したのは、リアルな人間の手首——にしか見えないものである。

「な、なにこれ。ニセモノなの？」

「撮影用に、手だけ映す時に使う小道具なんだわ」

素材はシリコンでできており、用途としてはこれにネイルチップやアクセサリーをつけて、商品紹介をしたりするらしい。人間が身につけているように見せるだけあり、サイズといい爪や皺《しわ》の質感といい、本当に女性の手首を切り取って置いてあるかのようである。

はっきり言って……すごく気持ちが悪い。

「会社でだいぶ使い倒してもういらないって言うから、貰《もら》ってきたわけ。昨日のゾンビもの観ててひらめいたんだけど、こいつを好きなようにデコって『チャレンジSちゃんねる』のマスコットにでもしたら、意外と可愛《かわい》い気がしてさ。ほら、『アダムス・ファミリー』に出てくるハンド君みたいに。併せて背景なんかも工夫したら、自宅バレの危険性も減るし一石二鳥！」

周は思いついた馬鹿と紙一重の名案を、きらきらとした目で話している。湊の価値観で言えば、だいぶ馬鹿モノ寄りに見える。

「デコる用のアクセは欲しかったけど、あんなクソ高いハイブランドなんてもちろん買うわけねえじゃん。ドンキかフリマでどうにかしようって思ってたよ……おい湊？」

もうダメだ。我慢ができない。今度は湊がこたつの天板につっぷし、肩を震わせて笑うはめになった。

(ほんと馬鹿)

(大馬鹿)

しみじみ思う。湊は馬鹿にはなりきれないが、突き抜けた馬鹿野郎を見るのはけっこう好きなのだ。

時々ついていけないし、中途半端な自分が嫌にもなるが、なんで周とつきあっているかと言われればそれが一番で。

忘れていた。思い出したよ。

「……なんかもう、気が抜けたらお腹《なか》減っちゃったよ。適当に作るけど周も食べる？」

涙でにじんだ目元をぬぐいながら、顔を上げた。湊が怒っているわけでもないと知った周もまた、ほっとしたようだった。

「食べる食べる。サンキュー」

湊はこたつから立ち上がった。

台所に行って、鍋にお湯を沸かして素麺《そうめん》を茹《ゆ》でる。

その間に冷蔵庫を見て、しなびかけたオクラを発見したので使うことにした。

(他に使わなきゃいけない肉はないから――ポークにするか)

ここで言うポークとは、内地の人間がイメージする豚肉全般ではなく、豚挽肉《ひきにく》を香辛料とともに金型に入れて加熱した、ソーセージ風の缶詰だ。他に『スパム』や『ランチョンミート』と呼ばれることもあるが、沖縄で店に入って『ポーク入り』と書いてあればだいたいこれだ。豚肉が入ってないよと泣いてはいけない。

那覇《なは》の実家から送られてきた、支援物資の段ボール箱から、ポークの缶詰を手に取った。蓋のサイドについた開け口から、専用の器具を使ってキリキリと巻き取って一周させると、蓋が取れて中身が出せる。

食べやすい大きさにカットしてから、フライパンでよく脂を出すべくかりかりになるまで炒《いた》めた。さらに同じように切ったオクラも炒め合わせる。

ちょうど素麺も茹だってきたので、そちらもザルにあげて水で締めた。ぬめりを取るのが目的だが、ぽってりした味わいを求めるなら、この工程は省いてもよい。

(水を切ったら、ポークとオクラと一緒に炒めるさー)

じゃっと湯気が上がった。

ポークの塩気と旨《うま》みがあるので、味付けは塩と、風味づけ程度の醤油《しょうゆ》一回しで充分だ。全体に油が回って味が馴染《なじ》めば、具志堅家式ポークとオクラの素麺チャンプルーが、二人前できあがりだった。

「はい、素麺チャンプルー」

「ははは。うまそう。いただきます」

こたつに皿を持っていくと、スマホをいじっていた周は破顔した。さっそく大口を開けて食べはじめる。

「最初、素麺炒めて食べるって聞いた時は、マジかとか思ったんだけど」

「実家じゃそれが普通だったし」

「慣れると意外とうまいよな。この皮なしソーセージみたいなポークも、なんか癖になるというか」

家の食事はたいてい炒めるか揚げるかの二択になりがちで、今回も自分の想像から一ミリも外れない素麺炒めだ。それでも一緒に暮らす男は、湊の代わり映えしない料理を毎回平らげ、有り難がったり面白がったりする。世の中は不可解で、すっきり割り切れることの方が少ない。

「考えてみりゃ俺、湊といて嫌だって思ったこと一回もないわ」

「本気で？」

それは珍しい。湊は周といて『無理』と思ったことが、一回どころかちょくちょくあるのに。

「うん。顔は好みだしスタイルいいし趣味合うしで、嫌う理由がどこにもないわけ」

「……もういいよ」

「たまに俺じゃ理解不能なこと言い出すけど、それだって可愛《かわい》いし、大体はうまいもん食べて面白い映画観てれば、大したことないってどうでもよくなるんだわ」

かなり無茶な言い分のような気がしたが、湊の周を見る眼差《まなざ》しだってさして変わらないだろうと気づいて頭を抱えたくなった。

（……割れ鍋に綴《と》じ蓋か）

処置なしだ。苦笑するしかない。

「じゃあ今回の結論としては、無理せず現状維持っつーことで。アパートもいよいよ追い出されるまでは、ここにいるってことでいいよな」

「あ、それはダメ。引っ越したい」

「え、ダメ？」

「ダメ。もう三点ユニットバスは嫌。コンセントついた洗面台があるとこがいい」

今度の休みは、二人で不動産屋に行こう。

たぶんすぐには意見も合わないしケンカもするだろうけど、穴場のラーメン屋を開拓して、時間があったら見逃したマーベルの新作を観よう。そういう二人らしくて幸せなデートをするのだ。

その後の小話

「……えー、じゃあ本当にプロポーズでもなんでもなかったってこと？」

夜の十時を過ぎても葉二《ようじ》は帰宅せず、まもりはリビングのソファで膝を抱え、湊《みなと》の報告をハンズフリー通話で聞いていた。

『なかった。完璧に、取り越し苦労でした』

「ど、どうしよう。ごめんね、余計なこと言っちゃったね……」

『いいんだけどさ。壮絶に紛らわしいタイミングで馬鹿なことしたあいつもあいつだし、あと色々見つめ直せることもあったから』

「どういうこと？」

『新宿《しんじゅく》の高島屋に、二度と行けないだけの価値はあったってこと』

本当にねえ、どういうことだ親友よ。

こちらの早とちりを責めてもいいはずなのに、スマホ越しに聞こえる湊の声は、以前よりもすっきりしているぐらいだった。まもりはなおさら不思議でしょうがないのだ。

『人にはそれぞれペースってものがあるんだよ。少なくとも、うちらは今じゃないと思ったの。ネガティブな意味はなしでね』

「そっか……」

『あ、でも引っ越しはするよ！　それはもう決めた』

明るい返事に、まもりもだんだん気持ちが落ち着いてきた。

よかった。湊が前向きなのは、なんにしろ嬉《うれ》しい。側《そば》にいてパワーが貰えるから、そういうところが彼女の魅力でもあるのだ。

これからも仲良くしたい、大事な大事な友達だ。

『そういえばまもり、病院行ったんだよね？　大丈夫だったの』

「わっ、ごめんごめん心配かけて。思った通り、全然悪い結果じゃなかったから」

『ならいいけどさ』

その時、背後で鍵が開く音がした。

どうやら葉二が帰宅したようだ。

「――ごめん湊ちゃん。葉二さん帰ってきたみたい」

『わかった。また今度話そ』

「ほんと、詳しいことはその時にね。じゃあね」

まもりは通話を切った。

リビングを出て葉二を迎えに行こうと思ったら、玄関からリビングに直行しようとしていたらしい葉二と、廊下で衝突しそうになった。

「……あっぶなー」

「そりゃこっちの台詞《せりふ》だおい」

ビジネス用のコートとスーツ姿の葉二は、肩で息をしながら反論した。

「連絡の一つぐらい入れられるだろ」

「いやあ、どうせなら自分の口で報告しようかと思って」

「じゃあ――」

へらへら笑ってしまったのが、いけなかったのかもしれない。葉二はこちらが続きを言う前に、まもりのことを抱きしめてしまった。

全然、まったく、思い通りにはいかない。困ったものだ。

(しょうがない)

こんなことでは先が思いやられるが、とりあえず動こうとしない葉二の背中を、抱かれながらトントンと気が済むまで叩《たた》いてみたのだった。

四章　ユウキ、義理兄と京都二人飲み。

葉二《ようじ》『飯食わないか？』

　姉の結婚相手から突然そんな連絡が来たのは、まだ盆地全体に冷え込みが残る三月上旬のことだった。

　どうも仕事で、ユウキが暮らす京都《きょうと》市内に来ているらしい。神戸《こうべ》でデザイン会社を経営していて、たまにこちらで用があるとユウキもついでに呼び出し、適当な店で食事を奢《おご》って去っていくのが義理兄の行動パターンであった。

　直前まで面倒な相手とのやりとりに疲弊していたユウキは、深く考えずに気晴らしのつもりでＯＫを出した。

　伏見稲荷大社《ふしみいなりたいしゃ》の近くにいるというので、大学の研究室を出て迎えに行った。

「よう」

亜潟《あがた》葉二は、目印の赤い楼門を背に立っていた。

暗色のスーツに黒いロングコートを着た長身は、日没後のライトアップでできあがった影法師が、石畳にそのまま立ち上がったようにも見えた。一年中観光客が絶えない京都の名所にいても、髪色から革靴までモノトーンでまとめたその姿は、埋もれるどころかひときわ目立つ。

あらためて、うちの姉はけっこうな面食いだよなと思うユウキである。

「悪いな、いきなり呼びつけて」

「別にいいけど……」

「いざ夕飯だって言われると、選択肢がありすぎて迷うなこっちは。ユウキはなんか食いたいもんとかあるか？」

「特には……っていうかアガタサン」

「ん？」

歩きだそうとする葉二に、思わず聞いてしまった。

「その荷物はなに」

いやに目立って視線を集めるのは、もとの素材がいいのに加え、ほぼ黒づくめの格好に派手な和柄の風呂敷《ふろしき》包みをぶら下げているからではないかと思う。場所が伏見稲荷なだけに、何かの撮影かと思ってしまったぐらいだ。

　中身はシルエット的に、一升瓶らしきものが二本入っている。これが一枚の布で包まれ、持ち手まで風呂敷で作ってあった。

「ああ、これか？　クライアントから貰《もら》ったんだ。京都の地酒なんだとさ」

　葉二いわく、この春リニューアルする旅館の、広告デザインを任されているらしい。

　門外漢にはよくわからないが、社員を路頭に迷わせずに会社を維持しているのは、地味にすごいことではないだろうか。最近とみに思うようになった。

「そうだユウキ。おまえって、日本酒は大丈夫なやつだったよな。良かったらこれ貰ってくれないか」

「え、全部？　アガタサンはいいの」

「俺が一人で晩酌してると、まもりがいい顔しないんだわ。自分が禁酒中だからって」

　それで旦那の酒まで制限するのか。暴君ではないか。

「相変わらず理不尽なやつ……」

「ま、しょうがねえよ」

　葉二は苦笑した。

　不思議なのは日頃強気な葉二が、ことまもりに関してはからっきし弱いことだ。これは二人が恋人時代から、なんだかんだとほとんど変わらない。はたから見ると、どうしてこんな力関係が成立するのか謎で仕方なかった。

それだけまもりに惚《ほ》れているのかもしれないが、弟の目線からその心情を真に理解するのは難しいものがあった。

ユウキにとっての姉とは、のほほんと野放図が紙一重の、なんというか……自然現象のような人である。本人は『人を涼子《りょうこ》ちゃんみたいに言わないで』と憤慨するが、さしたる差はないと思っている。

「飲んだら、簡単でいいから感想くれな。女将《おかみ》のお気に入りの酒らしいんだ」

葉二はユウキに風呂敷包みの一升瓶を渡そうとするが、内心では中身について名残惜しそうにしているのが伝わってくるから、つい言ってしまった。

「……うちで飲んでく？」

葉二が、意外そうに目を開いた。

「おまえの？」

「どうせこれから、夕飯の店探すんでしょ。うちでその酒開けてもいいんじゃないの」

ググる手間が省ける。

幸いにしてユウキのアパートがある出町柳《でまちやなぎ》まで、ここから京阪本線《けいはんほんせん》で一本であった。

ユウキの申し出を聞いた葉二は、すかした格好に似合わぬ率直さで破顔した。

「めちゃくちゃいいやつだな、大福2号」

「そのあだ名やめてって言ったよね」

「俺はいい義弟《おとうと》を持った」

あと、人の頭をがしがしかき回すのはやめてほしい。こちらも一応成人しているのである。


出町柳の駅を出てから、葉二が唐突に言った。

「いい酒には、いいつまみがいる」

まるで、天から啓示を受けたかのような真剣さであった。

そのシリアス顔がこちらを向く。

「ユウキ。おまえの家につまみはあるか」

「……冷凍枝豆とコンソメポテチぐらいなら」

「話にならん。調達するぞ」

「ああ……ならセブンイレブンがそこに……」

「コンビニもダメだ手ぬるい。どうせならちゃんとしたもんがいいだろ」

真顔で同意を求められても、答えに困った。

「……ぬるくないつまみってなに」

「そうだな……」

葉二は顎に手をあて、真剣な顔を維持して言った。

「とりあえず、生鮮品が選べるところはないか。スーパーマーケットとか」

ああそうか。こういう時、人によっては『作る』が選択肢に入るのかと、今さら思い至った。葉二はどう見てもそのタイプだ。

「わかった。ちょっと歩くよ」

「頼むぞ」

アパートの近くに、いつも半額の弁当や惣菜《そうざい》を買っているスーパーがあった。生鮮品の質がどうかはわからないが、案内することはできる。

「――ここ」

「よし」

長身イケメン、生活感のかけらもないモデルみたいな男が、ユウキに日本酒入りの風呂敷を預けると、腕まくりをしそうな勢いで照明が明るい店の自動ドアをくぐった。歩きながら買い物カゴを、コートの左腕に装備する様も手慣れていた。

「そもそも日本酒に合う食べ物っていうのが、定義としてよくわからない」

「まあ鉄板は和食だよな」

葉二が指を折る。

「蔵元がある海で獲《と》れた魚なんかがあったら、まず間違いはないって言うな。刺身に煮魚、天ぷら。少しひねってイクラやたらこなんかの魚卵もいいし、海から離れるならだし巻き卵もいいな。ワインじゃないがチーズも合う。個人的にはフレッシュなやつよか、熟成系のが日本酒には合う気がするな。前にラムチョップと生酒を一緒に出されたことがあって、あれはなかなかおつな味だったな」

「……そこまで言うのに、なんで野菜売り場で止まってるの」

ユウキは葉二に聞いた。

義理の兄は入ってすぐの野菜売り場をぐるぐる回るばかりで、それ以上奥に行こうとしなかった。

「いや……どうも初めて来る土地だと、なんの野菜を売ってるか確認したくならないか」

「ならないよ別に」

「そうかわかった」

なぜそんな残念そうな目でこちらを見るのだ。僕は間違ってないだろうと強く言いたい。

葉二はようやく野菜売り場を離れ、隣の鮮魚売り場に移動した。

(って言っても、僕も魚の目利きなんてできないんだけどさ)

けっきょく葉二の後ろで荷物持ちをしつつ、様子をうかがうことしかできないのが、少々情けなくもあった。

「おい、ユウキ。これはどうだ」

「なに」

手招きして葉二が指さしたのは、頭がついたまま冷蔵ケースに置かれた魚である。

草履のような平たい体は一瞬ヒラメかと思ったが、値札に『カレイ』と書いてあったのでカレイらしい。

「若狭湾《わかさわん》産、マガレイ……?」

「さっき言っただろ、蔵元の近くで獲れた魚なら間違いないって」

「これはそうなの?」

「確か貰った酒の片方は、丹後《たんご》の酒だって言ってたんだ。丹後半島ならもろ若狭湾だろ」

「いいですよ、今日のカレイ! 伊根《いね》の漁港で水揚げされたばっかり。丹後のアカガレイって言えば、ちょうど今が旬ですから!」

品だしをしていた鮮魚売り場の店員が、こちらの会話の言葉尻だけを拾って口を挟んできた。

しかし売り文句としては、充分とも言えた。少なくとも葉二の目つきが変わった。

「カレイ……刺身……煮付け……ならあれを使うか……見えてきたぞ」

ぶつぶつ一人で呟《つぶや》きだしたかと思うと、

「おやじさん、これ買うわ」

「まいどー」

尾頭付きのカレイが入ったトレーを、カゴに突っ込んだ。

「あとユウキ。ちょっと野菜売り場戻って、聖護院《しょうごいん》かぶを一個見繕ってきてくれないか」

「は？」

「俺は残りの材料を仕入れてくる！」

言うやいなや、さらに奥の売り場へ一人で行ってしまった。

——本当にマイペースな人である。

（どうしろっていうんだ）

ユウキは仕方なく、言われた通り野菜売り場に戻った。

（聖護院かぶって言われてもさ——）

野菜に添えられた値札をざっと見て、そこに『聖護院』の三文字を見かけたので、これかと手に取った。

葉二が指定したのはかぶはかぶでも、寺の木魚かハンドボールぐらいはありそうな、巨大なかぶであった。手に持つと本当にずっしりと重い。

どうもこちらではメジャーな地野菜らしく、川崎《かわさき》にいた頃よりもやたら目につくようになった。『聖護院かぶらの千枚漬け』という文句は、市内の漬物売り場や土産物屋で見ない日はない。

もっとも一人暮らしの身には巨大すぎるので、買ったこともちろんない。漬物をたしなむ趣味もないので、ずっと縁がないままここまで来てしまった。

しかしこんな『おおきなカブ』の世界から抜け出てきたようなものを、いったい何に使うつもりなんだ亜潟葉二。

「何をもたもたしてるんだよ」

他の売り場を回ってきたらしい葉二が、ユウキの背後に立った。

「これ、聖護院かぶ」

「違う違う。それじゃねえ」

葉二が持つカゴにかぶを入れようとしたら、カゴの方を引っ込めて拒否された。ユウキは少しむっとした。

「そりゃ僕は目利きじゃないけどさ。買ってこいって言ったのはそっちだろ」

「そうじゃなくて、おまえが入れようとしたのはかぶじゃなくて大根だろ」

「は？」

そんな馬鹿なと売り場を振り返ったら、確かに見たはずの値札には『聖護院大根』と書いてあった。

見た目はずんぐり丸くて、本当にかぶそのもので、とても大根には見えない形だ。

「聖護院かぶはほら、こっち」

少し離れた場所に、同じような形で積んであった。やはりそちらも色といい形といいかぶそのもので、大きさも含めてユウキが間違えた聖護院大根にそっくりであった。

「……無理ゲー……」

「よく見ろ。大根は葉の付け根のところが、ちょっと緑がかってるだろ」

渋々観察してみれば、確かにかぶの方はそれがない。

「同じアブラナ科でも、大根は胚軸《はいじく》より下の根が肥大して大きくなるが、かぶは逆に胚軸の方が太るから、その違いだな」

「胚軸……ってあれ？　植物で、根と双葉が出るところの中間部分」

「意外と知ってるじゃねえの」

知ってるも何も。大昔、練馬のマンションで葉二に言われるまま、もやしの収穫とひげ取りをしたことを思い出しただけだ。確かもやしの可食部分が胚軸で、ひげと呼ばれる部分が根だったはず。後で調べたから間違いない。

「強烈な印象があるとね。だいたい忘れない」

「大根とかぶの食感の違いも、太る部位が違うと思えばわかりやすいだろ。胚軸の方が根に比べて、細胞膜が薄いんだ」

葉二いわく、それが食べた時のかぶの柔らかさや、煮崩れのしやすさに通じるらしい。実際シチューなどに入れると、違いは如実にあらわれるという。

「今回必要なのはかぶの方と」

「そういうこと。一番手っ取り早い違いは、両方の葉を見比べることなんだけどな。形が全然違うから」

「どっちも切ってあるね」

双方とも根元数センチでばっさり葉を切り落とし、真っ白いボール状態で売り場に積まれる様を見て思う。このサイズで葉つきのものを売るとなれば、一般スーパーでは難易度が高いのはわかる。しかし植物として明確な線引きがあるのは、ユウキも理解した。

「あと料理には関係ないが、栽培するのは聖護院かぶのが段違いで難しい。俺は育てたことないが豆知識な」

「うん、たぶん披露することはないと思うけど覚えておくよ」

本当に無駄な知識を積み上げてしまったものだ。

けっきょく聖護院大根は売り場に戻し、新しく聖護院かぶをカゴに入れて会計をすませた。

スーパーを出て、そこからさらに住宅街の歩道を歩いて自宅アパートに到着する。

壁の薄さに定評がある、学生向け量産型1Kが、ユウキの部屋である。

「ちょっと待って、鍵開けるから」

「大学近そうでいいじゃねえの」

ユウキが鍵を探る一方、葉二は来た道を振り返っている。

（……まあね）

京大の理学部から近いは近いが斜め向かいが寺で、風向き次第で線香の匂いが漂ってくるのに不満を言ったのは、恋人の晶《あきら》だったか。

他に訪ねてくる友人は少なかったし、ユウキがどんな場所に住んでいるかのコメントを聞く機会はあまりなかったのだ。

ドアを開けると、すぐ目の前が廊下と共用のキッチンである。

――そうだ。これの問題もあったのだ。

「あの、アガタサン。うちの台所こんなんだけど、大丈夫？」

思わず確認を取る。

アパートのキッチンはキッチンでも、いわゆるミニキッチンと呼ばれるたぐいのもので、小さなシンクと火力が弱いＩＨのヒーターが一個ついているだけだった。

葉二の端整な顔が、とたんに険しいものになる。

ユウキはふだんお湯を沸かすのと、簡単な中食の温めぐらいにしか使っていない。はたして、『ぬるくないつまみ』に耐えるだろうか。

「……フライパンと包丁があるなら、なんとでもなる」

「ならいいけど……」

「これがあるから、ガスが二口ないところは避けてるんだよな。俺が最初に一人暮らしたアパートも、こんなんだったわ。とりあえず、段取り組んで考えてきゃいけるだろ。生ものを冷蔵庫に入れといてくれ」

「……わかった」

ユウキが電子レンジの下にある小型冷蔵庫に、むりやりカレイのトレーをねじこむ間、葉二がコートとスーツのジャケットを脱いだ。ネクタイの先端はシャツのポケットに突っ込んで袖をまくり、戦いの準備は完了といった趣がある。

まず狭いキッチンは作業スペースというものがまったくないので、買ってきた聖護院かぶを洗ってから、シンクの上にまな板を渡して茎の部分を切り落とす。そこからさらに四つ割りにし、皮を厚めにむいていった。手際にはまったく隙がない。

「大福……じゃないユウキよ。この家に、大根おろし器とスライサーはあるか」

「ないごめん」

「そう言うと思ったから、あのスーパーで買っといたわ。これ、四分の一はおろして、残りはスライサーでスライスしちまってくれ」

一方的に渡されたのは、二つ重ねたラーメン丼である。恐らくボウルが足りないからだろう。中に分割された聖護院かぶと、真新しい野菜スライサーが入っている。

「……わかった」

「使い終わったらやるわ、そのスライサー。あると便利だから置いとけ」

変な親切心も発揮された。喜ぶべきなのだろうか。

そしてこれだけクソ狭いキッチンでも、ユウキに仕事を割り振ろうとする葉二はすごいとさえ思った。

キッチン周辺に作業する場所などもうなかったので、隣の六畳に行って、こたつの上でしょりしょりとかぶをスライスした。

野菜スライサーは、ひっくり返すと大根おろし器になるリバーシブルタイプで、二個目の丼はそちらに使った。

「終わったよアガタサン。なんかえらい量になったんだけど」

「おう。スライスした方は、スプーン一杯ぐらい塩振ってまぶしておいてくれ。まさか塩がないとか言わねえよな」

「……それぐらいはあるけど」

「ならいい。さっさとやってくれ」

いやだから、量がね。量が。

背中を向ける葉二は、もうこちらの話など聞く気もないらしい。仕方なく棚から塩を取り出して、大量にできてしまった聖護院かぶのスライスにまぶしていく。

横目に葉二の作業を見てみるが、当人はカレイの下ごしらえをしていた。

うろことぬめりをそぎ落とし、尾と頭を切り落として内臓を取り出す。洗って半分に切って、肉厚な身に十字の切れ目を入れれば、下準備は完了のようだ。

「よし。次は煮る準備だ。フライパンに水と出汁《だし》の素と、みりんと醤油《しょうゆ》を入れて……」

葉二はユウキの部屋にあるものと、自分がスーパーで買ってきた調味料を適宜組み合わせて、目分量でどんどんと投入していった。

「あとは——と」

「ちょっ、何やってるのアガタサン」

思わず口を挟んでしまった。

何しろ葉二は持ち込んだ日本酒の風呂敷《ふろしき》包みをほどき、そのうち一本の栓まで開けたのだ。

「まさか」

「一升あるからできる贅沢《ぜいたく》だよな」

そのまさかだった。葉二は鍋に開封したての酒を、今までと同じ雑さでどぼどぼと注いでしまった。

「うまいぞー、きっと」

「冒瀆《ぼうとく》……」

ユウキはうめいた。葉二が持つ一升瓶を、あらためて確認してしまう。生酛《きもと》純米醸造酒、墨字で描いた『京の春』のラベルも爽やかなりし一品だ。お初をカレイの煮物に奪われてしまったが。嗚呼《ああ》。

「こいつを一回煮立ててから、切ったカレイを入れると」

沸騰していく。テフロンコーティングのフライパンの中で、他の調味料と一緒にぶくぶくとアルコール分が揮発していく。自分がものすごく罰当たりな実験をしている気分になってきた。玄関から特高が踏み込んできやしないだろうか。

「おい、スライスしたかぶはどうだ？　そろそろ水が出てきただろ」

「出てるけどさ……」

「絞って水切りしといてくれ」

確かに塩をまぶした聖護院《しょうごいん》かぶは、浸透圧の作用で水分がかなり出ていた。色といいサイズといい質感といい、消毒薬にひたされた滅菌ガーゼのようであった。葉二の大きな図体《ずうたい》が邪魔だったが、横からシンクに手を伸ばし、何回かに分けて絞った。

「終わったよ……狭い」

「さて、どうすっかな。このまま鍋で甘酢の砂糖を溶かしたいとこだが……煮物でコンロが埋まってるからレンチンで行くぞ」

葉二はなんら憚《はばか》ることない男であった。酢と砂糖、塩少々を耐熱の器に入れて、最後に鷹《たか》の爪《つめ》を一本放り込んで、加熱ボタンを押した。

タイマーが鳴ると、レンジの扉を開ける。

「こうやってできた甘酢を、おまえが下漬けしたブッにぶっかけて馴染《なじ》ませれば、聖護院かぶの即席漬けができあがりなわけだ」

知らないうちに、一品できあがっていたらしい。

「カレイはどうなったの」

あの罪の煮付け。

「それはほれ。ホイルで落とし蓋して、煮てるとこだ」

鍋の中は、アルミホイルをかぶせたカレイが、ふつふつと煮込まれていた。

少しホイルを外すと、湯気と一緒に煮魚特有の甘辛い香りがふわりと漂ってくる。

人知れず腹が鳴って、自分が意外に空腹だったことを思い出した。

だいたい煮えてきたところで、葉二はユウキがおろした聖護院かぶを、軽く水気を絞って丼から投入した。さらにチューブのおろしショウガも、買ってきたばかりの新品を絞り入れた。

「本物のショウガの方が、香りもいいがな。おまえが残りを使うなら、チューブのが使い勝手がいいだろ」

「勝手な気遣いアリガトウ。確かに腐らすかもね」

「どうせなら、かぶの茎も突っ込んじまうか」

ゴミとして捨てるかと思ったかぶの茎部分も、刻んで鍋に入れる。

「これで全体がいい感じに温まったら、完成。カレイのみぞれ煮だ。どうだ、やりゃできるじゃねえの」

葉二がワイシャツに腕まくり姿で、少し得意げに笑った。たぶんこういうのを『ドヤ顔』と言うのだとユウキは思った。


亜潟葉二はさらに調子にのり、もともとユウキの家にあった冷凍枝豆に、カマンベールチーズもつまみに加えて、こたつの天板に並べた。

湯気がたつカレイの煮物をメインに、手作りの浅漬けも小皿に盛られ、晩酌の供としては充分だろう。

「それじゃ、乾杯といくか」

「どれから行くの」

「どうせなら飲み比べてみようぜ」

葉二の提案により、コップを四つ用意して飲むことにした。

一本目は、カレイの煮付けに使った『京の春』。もう一本は、伏見で作っている『澤屋まつもと』の純米酒らしい。どちらもユウキが初めて飲む銘柄だ。

ユウキがテーブル越しに酌をする酒を、硝子《がらす》コップで受け止めながら、葉二が不意に苦笑した。

「なに」

「いやまあ、器がモロゾフのプリンカップの再利用ってのが、情緒的にはあれだよなと」

「悪かったね、ろくな食器がなくて」

「うちにもあるけどな。おまえんとこにもあるのが、ちょっと意外」

「……椎堂《しどう》が買ってくるんだよ」

「ああ。例の彼女さんか」

ユウキも同じ顔で苦笑した。

軽い乾杯の動作を挟んで、プリンカップ入りの酒を飲む。

『京の春』は、やや酸味が強くて濃厚な味わいだった。同じ酒を使ったカレイに箸を入れると、ふっくらと柔らかく炊き上がっており、白身魚の上品な旨《うま》みが酒の味をさらに引き立たせてくれる。

「……ん。やっぱ酒をケチらない煮魚はうまいな！」

葉二が自画自賛しているが、どちらかと言うと、煮魚と日本酒の相性が良すぎるのだと思う。昼間の定食や夕飯の煮付けで、こんなにテンションが上がったことはなかったからだ。

（知らなかった。和食っておいしいんだな）

味が濃すぎる煮魚は、ほぼ醤油と砂糖の味しかしないが、これは違う。最後におろして入れた聖護院かぶも、カレイの臭みを消しつつ出汁のいいところを吸って、淡い味付けながらも満足感のある肴《さかな》に仕上がっていた。

今度居酒屋で日本酒を頼む機会があったら、食わず嫌いでスルーしていた魚の煮物や干物も、積極的に注文してみようと思った。こんな飲み方ができるなら、その価値は絶対にある。

二本目の『澤屋まつもと』は、『京の春』とは対照的にからりとキレのある辛口だ。甘酢に漬けていた聖護院かぶも、この頃にはだいぶ馴染んで、酒と酒の間の口直しにはぴったりだった。きめが細かいながらも適度に歯ごたえがあり、加熱の時とはまた違った顔を見せてくれる。

（大根とかぶの差は、細胞膜の厚さ）

これもたぶん、もやしの構造と同じぐらい、使い所がなくても忘れることはないだろう。

「浅漬けはたぶん、明日の方がもっと漬かってると思うぞ。残りは冷蔵庫に置いとくから、適当に食えよな」

「いや無理アガタサン。あの量を僕一人は無理」

「無理か」

「無理」

「……わかった俺もなんとかする」

「マジでお願い」

片方のコップが空になれば、片方が勝手に注いだ。

カマンベールチーズが合う酒は、個性が強い『京の春』。逆にすっきりした『澤屋まつもと』は、枝豆と相性がいい。同じ日本酒でも、なんとなく好みと傾向も見えてきた。

「しっかし──」

「なに」

「まさかユウキと、こうやってカレイと浅漬けつついて地酒でさし飲みできる日が来るとはな」

「そんな意外？」

「おまえももう二十歳か？　三年なら二十一か。まもりの奴もそれぐらいの時分は、説明会だ面接だってばたばたしてたが、そっちの方は大丈夫か？」

「僕は……このまま院に行く予定だから」

ユウキは伏し目がちに答えた。

現状で考えるのは、来年の卒論と院試ぐらいだった。

「そうか。おまえの専攻だと、大学院までセットの場合も多いもんな」

「……その件でさ、この間実家に帰った時に、椎堂と話したんだよ」

葉二が、あらためてこちらを見た。ある意味それは、酒の力を借りなければできない打ち明け話だった。

混雑した正月を避け、二月のオフシーズンに神奈川《かながわ》の実家へ帰省した。

向こうには、高校時代からつきあってきた恋人がいた。久しぶりにリアルで会った同い年の彼女は、まさしくリクルートスーツと黒パンプスで業界研究にいそしむ就活生に変身していた。

「僕がこっちの院に進むなら、就職は関西にするとか言い出してさ」

「おめ、そりゃあ……」

葉二は絶句したようだ。そうだろう。まったく同じことをまもりにやらせた人間だ。思うところがないとは言わせない。

「どうしたんだよ、それで」

「止めたよ、もちろん。あたりまえだろ。それでこっちに就職したところで、二年後や四年後に僕がどこにいるのかなんてわからないんだから」

東京に戻るか、京都にとどまるか。はたまたまったく別の土地にいるか。あやふやなものしかないユウキは、彼女の申し出を喜ぶことなどできなかった。そして。

『なんで？』

止めたユウキに対しての、心底傷ついたような晶の目が忘れられない。

「泣いて言われちゃったよ。『あたしはもう待てない』って」

タイムアップ。

残酷な時間切れの宣告だった。

ユウキは当時の苦いやりとりを思い返して、自嘲する。

「たぶん椎堂にとってこの三年間は、ずっと『一人でがんばる』時間だったんだ。それがまだ続くってことに耐えられなくなった。でもアガタサンみたいに、責任持って今すぐ結婚しようなんて言える力も、僕にはない。どうしようもなかったんだ……」

本当にどうしようもなかったのか、後悔は絶えずさざなみのように心を揺らすけれど。

とりあえず今日来た連絡が、彼女との最後のやりとりになるのだと思う。

「……飲めや」

葉二はただそれだけ言って、ユウキの空になっていたコップに酒を注いでくれた。

晶がこちらに来た時、買ってきてくれたプリンの器だ。二人で食べただけで楽しかった。

そう。ユウキにとってはずっと『二人』だった。会えない時間の方が多かったが、オンラインでつながれるだけつながって、まめに話もすれば物理的な距離は乗り越えられると思っていた。

（あまかった）

本当に甘かった。

ユウキは注がれた酒を、一息に飲み干した。この味は『京の春』か『澤屋まつもと』か。

考える前に視界がにじんできたので、服の袖で慌ててぬぐった。


「──そろそろ出るわ」

夜の十時を過ぎた頃、葉二が時計を見ながら立ち上がった。

「悪いな。長居しちまって」

「……こっちこそ」

飲みの後半は、ひたすらユウキのくだ巻きにつきあわせてしまった気がする。

タイミングが悪かったとはいえ、ふだんはこんな醜態めったにさらさないのである。

「ごめん。愚痴るつもりじゃなかったんだけど」

「いいって。どっかで発散しないとぶっ壊れるぞ。いくらユウキでもな」

そんな風に買いかぶらないでほしい。

飲むピッチはほとんど変わらなかったのに、葉二は顔色一つ変わっていない。そういうところも羨ましかった。

なぜか葉二に対しては、昔から弱みばかり見せてしまっていた。単に年が上なだけではないように思う。

ありえないと思いながらも、こんな風に生きられたらとも思う対象なのだ。臆病で慎重派で神経質なユウキより先の世界を歩いていて、だからユウキはそれを地上から星を見るように眺めてきた。たぶんそちらに行くことはなくても、迷った時の指針の一つとして、この長身で大胆な男の存在感は大きかったのだ。

「酒、うまかったよ。色んな意味で。また飲もうな」

「今から神戸まで戻るの」

「ああ。この時間なら、まだ尼崎《あまがさき》から先の電車にも間に合いそうだしな」

「もう泊まっていけばいいじゃん」

葉二は、わざわざユウキの言いつけを守って冷蔵庫の浅漬けを半分持ち帰るようだ。ビニール袋の口を縛ってから、ロングコートに袖を通して苦笑した。

「遅くなっても終電あるなら帰ってこいって、まもりに言われてるんだよ」

「なんでそんなまりもに言いなりなわけ」

「そういうわけじゃねえよ」

身支度を終え、葉二が玄関に向かおうとしたところで、ふと思い出したようにこちらを振り返った。

「なに。忘れ物？」

「いや——一つ報告させてもらっていいか。今度な、うちも家族が増える予定なんだわ」

——その言葉の意味を咀嚼《そしゃく》するまで、しばらくかかった。

実感として消化するのは、たぶんもっと先だろう。

葉二は蛍光灯の安い明かりの下、ユウキのリアクションを待っているようだ。

「……何ヶ月？」

「四ヶ月ってところか。この間までゲーゲー吐きまくってたが、やっと治まってきたとこだ」

　出産予定日は秋だと、葉二は言った。

　本当はもっと、こんな時間になる前に言い出したかっただろう。わざわざユウキを呼び出したのも、このことを言うために違いないのに。

　彼が父親になることを喜んでいるのは、おさえていてもにじみ出る声の感じでよくわかった。

「おめでとう。よかったねアガタサン」

　素直に祝福の言葉は出た。

　葉二は笑った。

「おう。それじゃなユウキ」

　小さく手を挙げ、そのまま1Kの部屋を出ていった。

　ユウキはしばらくそのまま、台所と六畳の境界線に立ち続けた。

　そうか。ユウキの頭の端で勝手に光り続けていた星は、また新しい道へ進み始めたようだ。隣には姉がいて、そのうち人数が増えるのだ。

（……僕まで嬉《うれ》しいって何事）

　右手で口をおさえる。ちょっとセンシティブになりすぎているのかもしれない。他人の感情に引きずられすぎだ。

それでも今日という日を、最悪の色だけで塗り潰して眠りにつかずにすみそうだ。

話して話して、『終わった』と思ったまさにその日に、新しい始まりの話が聞けたのは、何かの縁か——たぶん全然関係ない気もするが、明日になっても未練がましく晶に電話をかけるのはやめようと思った。

そう思い切れただけ、ユウキは義理兄の訪問に感謝したのだった。

＊＊＊

葉二は大阪駅《おおさかえき》で神戸線の最終電車にぎりぎり間に合い、午前様ながらもなんとか六甲《ろっこう》の自宅マンションにたどりつくことができた。

まもりはすでに寝ていたので、持ち帰った浅漬けを冷蔵庫におさめると、シャワーと着替えだけしてベッドに入った。

「……葉二さん？」

「悪い。起こしちまったか？」

布団を引き上げようとしたら、まもりが寝返りを打って、こちらを向いた。

「ううん。休んでただけだから。おかえり葉二さん」

少し眠気の混じった甘い声が、ごく近くで葉二の耳をくすぐる。

多少時間がかかろうが帰ってこようと思うのは、直《じか》にこれを聞くためであり、葉二の意志でもある。全面的にまもりのせいにしてしまったのは、ユウキの手前とはいえ申し訳ない気もした。

葉二はあらためてその温かい体に手を回した。

「今日は体調どうだったんだ？」

「んー、普通。ちゃんと会社行けたし、課長とこの先の予定話してきたよ」

「あんま無理するなよ」

「みんなそう言うんだけどさ。さぼりすぎたら戻る椅子もなくなっちゃうじゃない」

おまえがやっているのは断じてさぼりじゃねえと思うが、葉二の立場からそれを納得させるのは難しくもあった。

これからもっと変わっていく体と向き合って、周囲と折り合いをつけていくのは、どんな美辞麗句を並べようが最終的にはまもりである。

自然の摂理とはいえ、葉二は助けることしかできない。

子供自体は結婚当初から欲しいと思っていたが、入社したてのまもりの環境が固まるまで待ち続けたのはそのせいだ。

　できたと聞いた時は、情けないがすぐには言葉が出てこなかった。

「葉二さんは？」

「おまえの弟に会ってきたよ」

「どう、元気にしてた？」

「元気元気。まもりのこと話したら、めちゃくちゃ喜んでたわ。『おめでとう亜潟さん、よかったね』とか」

「えー、ちょっと待って葉二さん。どんな顔してあの子それを言ったの。盛ってませんか」

「……どうもおまえら姉弟は、関係性が微妙だよな」

　葉二はぼやいた。

　一応お互い心配したり気に掛けてはいるようだが、その気遣いは一方通行であると信じているふしがある。

「少しは素直に受け取れ」

「はいはい。そうしますよ」

　変なところで頑固なのだ。

「そうだ。葉二さん宛の荷物が届きましたよ」

「お、今日だったか」

「苗っぽかったんで、箱ごとベランダに出しておいたけど」

それでいい。いいや、妊婦に余計な手間をかけさせた時点でよろしくないか。

「週末は植え付けするか」

「晴れるといいね」

囁《ささや》く声に、嚙《か》みしめる感情がある。

きっとこいつといるなら毎日愉快だろうし、悪いことはなさそうだという、その直感は今のところ外れていない。たぶんそれ以上の幸福を貰《もら》っている。

しばらくすれば幸せはもっと増えるはずだ。葉二の支えと水やりが鍵を握っているだろう。

それは半年先の収穫を待ち望むように、葉二にとってもやりがいがあり、自分を活《い》かす楽しい未来に思えるのだ。

エピローグ　Hello, Sweet Baby. Here is a nice place.

葉二《ようじ》が通販で買ったのは、春野菜の苗と種だった。

「――よーし、いい天気！」

願った通りお天気な土曜日になったので、まもりはベランダで両手を広げて、植え付け前の深呼吸をした。

気温もぽかぽかと気の早い桜が咲きだしそうな暖かさで、絶好のベランダ菜園日和である。

「屋根つきのベランダで、晴れも雨もないんだけどな」

「まあほら。気分って大事じゃないですか」

休日ジャージ仕様の葉二も、のっそりとベランダに出てくる。

足下の段ボール箱には、これからプランターに定植する苗や、直まき用の種が入った袋が並べてある。

「何買ったんでしたっけ。こっちの苗はカリフラワー？」

「そうだ。早生品種が欲しかったんだが、河井《かわい》さんとこにも入ってなくてな。仕方ないから通販で頼んだ」

「で、一緒に頼んだ種が『ルートパセリ』に『コールラビ』に『パースニップ』……って、なんでこんな呪文野菜ばっかりなんですか」

「種は苗よりマニアックなものも手に入りやすくていいよな」

思わず半眼で睨《にら》んでしまうまもりに、目を合わせることなく葉二が腐葉土の袋を運んでくる。

どれもこれも、食べた経験どころか見たことすらない。いったい何を育てる気かと不安になってしまった。

とりあえず、もうちょっと種袋の裏を熟読してみる。

「……ルートパセリはパセリなのに、根っこも食べる……？　コールラビの外見が、なんか火星か金星にいそうな形なんですけど、本気で食べ物なんですか。あとパースニップ。白い人参《にんじん》に見えるのに、謳《うた》い文句《もんく》が『香り豊かでホクホク！』って意味がわかんないです」

「そう。完璧わかんなくて心躍るだろう」

ごめん。そこまでマゾに生きられないよ旦那さん。

「ルートパセリとパースニップはどっちもセリ科だから、プランターに直まきだ。コールラビはキャベツの仲間で、まずは苗作りから始めるらしい」

「さようでございますか……」

葉二が宣言通り、プランターに軽石と土を入れ、謎の種を点まきしていくのを脇で手伝った。

(これで何日かしたら、呪文野菜の芽が出てくるのか……)

なんだか芽のかわりに怪しい音楽が流れ、蛇使いの蛇が出てきそうなイメージだ。

そして苗作りというのは、プランターや鉢に直接種をまかず、小さなポットや苗床である程度育ててから植え付けるやり方だ。手の平サイズの紙製ポットに土を入れ、今度はコールラビの種を数粒まく。

まるでほつれた毛糸のように小さなルートパセリやパースニップの種に比べると、コールラビの種はころんと丸くてしっかりしていた。

それでも発芽しなかった場合に備え、ポットの数は植え付け予定の数より多めに用意する必要がある。

「で、そうやって無事育った芽のおいしいところを購入したのが、このカリフラワーちゃんなんですね」

「誰に解説してるんだおまえは」

カリフラワーの植え付けをしている、働き者の自分に対してだ。葉二が大型の十号鉢に腐葉土を入れると、まもりがビニール製のポリポットを外して苗を定植する。

（……こんなもんか）

用意した鉢が、深さ直径ともに三十センチはあるのに、植えたのはようやく本葉が五、六枚出てきた程度の新芽で、ひどくアンバランスだった。これからこの鉢が狭く見えるぐらい、大きくなるのだろう。それが今回は二鉢ぶん。

「葉二さん、最近ちょっと大型の野菜狙いすぎてません？」

「気のせいだろ」

いや充分でかいよ。

個人的にはスペースを取るわりに、一回の収穫でごそっとなくなってしまう大きな野菜よりは、ちまちま長く楽しめるハーブや果菜類の方がありがたいのだが。

――と、家の中からインターホンが鳴る音がした。

「なんだろ。宅配便？」

「俺が行く。そこにいろ」

「えっ、でも――」

「おまえに重いもん持たせて、なんかあったらどうする！　まだ安定期にも入ってないだろうが」

腰を浮かせてベランダを出ようとしたまもりを、押しのけるように葉二が室内へ入っていった。こういうことが、ちょくちょくあるのである。

（……なんだかなあ）

妊娠したことを案じてくれるのはいいが、何やら自分が危険物になってしまった気がして気後れしてしまう。

仕事人間でマイペースが服を着て歩くタイプの葉二が、子供を持つことに前向きなだけでも意外だったのだが、今も葉二はまもりがめったなことをしないか、ものすごく神経を尖《とが》らせている。

（まあでも、無関心よりはずっといいか）

母子ともども大事にされて、嫌な気持ちになるわけがない。お腹《なか》にいる子が、ここまで歓迎されているのはいいことのはずだ。

「もちろんねー、わたしだって歓迎してますよー。早くがんばって大きくなろうねー」

性別どころか、まだ動く気配もない体内の赤子に向かって呼びかけていると、葉二が段ボール箱を持ってベランダに戻ってきた。

「やっぱり宅配便だったんですか」

「まもりが出ないで正解だったわ」

ああもう、なんて優しいのダーリン。惚《ほ》れ直しちゃうわという思いは、葉二がその場で箱を開けた時点で吹っ飛んだ。

そりゃ重いわとしか言えない。

「……じゃがいも？」

「植えるための種芋だよ。苗とは別便で頼んでたんだわ」

「こんなに頼んでどうするんですか！　何キロあるの！」

段ボール箱いっぱい。ネットに包まれたじゃがいもが、何十個も入っている。

「そう言うけどな、まもり。余計なものは買ってないんだぞ。まず定番の『キタアカリ』だろ」

葉二がネット入りの種芋を、箱から一袋取り出す。

「次におまえの好きな『インカのめざめ』は外せないだろ。紫芋も欲しいから『シャドークイーン』も入れて、あとマンネリ化を防ぐために目新しい品種を二、三種類選ぶ」

どす、どす、どす、と芋の袋がベランダに積まれていく。

「……ほら。あっという間にこの惨状だ」

「惨状って自分で言った！」

まもりはわっと両手で顔を覆った。

葉二はベランダにヤンキー座りをしながら、青い空を見つめている。

「……種芋って、なんでキロ単位で売るんだろうな」

「知りませんよもう。通販だからでしょう」

「ホームセンターでもバラ売り少ねえんだよこれが」

葉二はまもりと生まれてくる子供を大事にしているが、同じぐらいに行動がずれていると思うのは、気のせいだろうか。彼がまもりとは違う人間だからだろうか。

それでも一緒にいる道を選んでしまったのだ。驚いたり喜んだりケンカをしたり、それはもうしょうがない。

まもりも同じく、空を見上げる。

「ベランダのスペースは決まってるんですから、植えられるのはそれぞれ一個ずつぐらいですよ。どうします、余ったお芋は山邑《やまむら》部長のお母様の畑にでも寄付しますか」

「あっちにも作付け計画ってもんがあるだろうしなあ」

「犯罪を思いつきました。このまま蓋をし直して、つくばのお義母《かあ》さんのところに送る……」

神戸《こうべ》の名産品のふりをして。まずいか。

「ここもなんだかんだ手狭になったよな。もう引っ越ししちまうか？」

「あはは。湊《みなと》ちゃんたちみたいにですか？　わたし、もうちょっと職場に近いのが希望です」

これから物も増える一方だろうし、まもりが在宅勤務する時の机もないし、夢を語るだけならただという気分だった。

「でも今ぐらいのお家賃で、ベランダ含めて今より充実してる場所って、そうそうない気がするんですけど」

「──いっそ買う。建てる」

まもりは、その言葉にぎょっとした。

葉二も据わった目つきでこちらを見つめ返してくる。

──分譲。マンション。建て売り。注文住宅。

突如降ってきた単語であった。

「…………ま、まあ、そういうのはおいおい考えましょう。そんな種芋ポチるみたいに決めるもんじゃないですよ」

「意外と悪くないかもしれん……」

「落ち着きましょう。一生に一度のお買い物ですよ。というかわたし、今はお腹の赤ちゃん以外余計なこと考えたくないですよ！」

せめて無事生まれてからにしてくれ。

本当に、自分と違う人との暮らしはアンビリーバブルなことばかりだ。

だからこそ世界は新鮮に輝き、小さな芽吹きにすらも心を震わせることができるのかもしれない。

――ま、大変は大変だけどね。

とりあえず芋と家の件は置いておいて、お昼をどうするか葉二と相談することにした。

特典ショートストーリーズ

まもり、ラーメンは味噌《みそ》が好き。
――小説一巻の前日譚《たん》①――

キッチンのヤカンが、ピーピーと鳴きはじめた。

むしろ泣きたいのはこっちだよ。まもりは段ボール箱を開ける手を止め、立ち上がった。

「ほっ」

たかだか数メートルの移動だが、大きめの荷物やゴミ袋の上を、またいで進むのは大変だ。なんとか火元にたどりつくと、用意してあったカップ麺に湯を注いだ。

(これ、寝るまでに片付け終わるかなあ……)

カウンター越しに広がる惨状に、苦笑しか出てこない。

今日は四月一日。第一志望の律開大学《りつかいだいがく》に合格し、従姉妹《いとこ》の住んでいた練馬《ねりま》のマンションに越してきたのが、つい昨日ことだ。大型の家具や家電は涼子《りょうこ》が残していってくれたし、持ち込む私物などわずかなものとたかをくくっていたが、いざまとめて運び込めばけっこうな量だった。

何より、明日の入学式に履くパンプスが、どこかに紛れて行方不明というのがまずい。

おかげでまもりは、さっきから血眼になって段ボール箱を漁《あさ》る鬼と化していた。

（入れ忘れたってことは、ないと思うんだけど……）

このまま見つからなかったら、池袋《いけぶくろ》の百貨店にでも駆け込んで、新しい靴を調達しなければならない。閉店の時刻を考えれば、まもりに残された時間はそう多くない。どうしたって焦ってしまう。

「そもそも買い直す予算なんてないよう。あーもう、お願いだから出てきて～」

――ピンポーン。

表でインターホンが鳴る音。

（宅配便屋さんかな？）

自宅から持ち込んだ荷物に加えて、新しく通販で注文したシーツや衣装ケースなどが、届くはずだった。

まもりは玄関へ向かおうとし――未使用のゴミ袋に足をとられた。

ズダン！　と前のめりに転倒する。積み上げてあった、開封済み段ボール箱が雪崩を打って倒壊する。

「ちょっ、待って宅配便の人――っ！」

まもりが床でもがいている間も、インターホンは鳴り続け、なんとか起き上がってモニターの受話器を取ったら、すでに人の気配はなかった。

慌てて表へ出る。

段ボール箱をカートに載せたお兄さんは、エレベーターに引き返そうとしていた。

「すいません！　います！　留守じゃないです！」

大騒ぎで荷物を引き渡してもらい、はんこを押して帰ってもらう。

ドアの前に段ボール箱を積み上げたら、春先だというのにどっと汗が出た。

前髪を持ち上げていたターバンを外し、一息ついていると、目の前を人が横切り、隣の部屋のドアを開けはじめた。

第一印象としては、背が高い男の人だ。まるでメンズのファッション誌からそのまま抜け出てきたような、モード系のスリムなスーツさらりとを着込んで。少しけだるげな仕草の一つ一つが、止めておきたくなるほど絵になった。

まもりが惚けていると、向こうもこちらを見た。

「……新しい入居の方ですか？」

自分に言っているのだと、一拍遅れて理解した。

「そっ、そうです！　わたし、栗坂《くりさか》まもりです」

「栗坂涼子の従姉妹です。今月から、わたしがかわりに住むことになりました。よろしくお願いします！」

その場で大きく一礼すると、向こうは切れ長の目を細め、ほんのかすかだが――笑ったのだ。

「栗坂」

「五〇二号室の亜潟《あがた》です。どうぞよろしく」

それからのことは、興奮しすぎてよく覚えていない。

受け取った荷物を家の中に運び込み、転んだ拍子に出てきた黒パンプスに狂喜乱舞し、お湯を入れたカップ麺の存在を思い出したのは、だいぶたってからのことだ。

試しに一口食べてみたが、麺がでろでろに伸びきっていた。

「超――まずい！　ででも、イケメンなお隣さんだった――！」

栗坂まもり、まだ隣人の正体を知る前。春の話である。

葉二《ようじ》、午後七時のお一人ごはん。

——小説一巻の前日譚②——

——それはまだ亜潟《あがた》葉二という人間が、都内で社畜サラリーマンをしていた頃の話である。

四月初日のエイプリルフール。企業的には年度末から新年度への切り替えの時期でもあり、大手デザイン事務所勤務の葉二も、ここ一ヶ月はごたごたとした繁忙期が続いてた。

しかし珍しくその日は、定時で帰宅することができたのだ。

（……正確には、二日ぶりの帰宅だけどな）

葉二はマンションのエレベーターの中で、自嘲する。泊まりこみを挟んでの、三十六時間勤務の果ての定時帰宅を、定時と呼んでいいかは微妙である。

辞めてやる。もう絶対に辞めてやる。そう強く思っているうちに、エレベーターが五階に到着した。

台車を押す宅配業者とすれ違い、自室の鍵を開けようとしたら、隣の部屋の前に、大きな荷物が積んであった。

さきほどの業者が届けたとおぼしき、段ボール箱が三つ。それをどう運び入れようか、考えあぐねている感じの――若い娘。

隣の五〇三号室は、葉二の記憶が確かなら、栗坂涼子《くりさかりようこ》というOLが入居していたはずである。彼女はそれよりだいぶ年下に見える。

「……新しい入居の方ですか？」

葉二が呼びかけると、当人はぽかんと目を丸くした後、慌てて首肯した。

「そっ、そうです！　わたし、栗坂まもりです」

「栗坂」

「栗坂涼子の従姉妹です。今月から、わたしがかわりに住むことになりました。よろしくお願いします！」

そう言ってバネ入りの人形のように、ぺこりと大きく一礼した。

ショートボブの髪質は、いかにも細く柔らかそうで、今のお辞儀の勢いと大汗のせいで、顔に張り付いてしまっている。

こちらとしては、こみあげてくる笑いをこらえるのが精一杯だった。

「五〇二号室の亜潟《あがた》です。どうぞよろしく」

無難にそれだけ告げて、自分の部屋に入る。

でもそうか、あのはた迷惑な人は引っ越したのか——いざ事後報告で知ると、複雑な気分である。さんざんな目に遭ったので。

着ていたスーツを脱いでジャージに着替え、コンタクトから眼鏡へチェンジ。それでようやく息がつける。まずは腹ごしらえからだった。

定時帰宅が幸いし、今日は駅前のスーパーで惣菜《そうざい》を買ってくることができた。アジのフライを冷凍ご飯とともに温める間、葉二はヘッドライトをつけてベランダへ向かう。

第二の食料貯蔵庫と化したベランダから、栽培中のベビーリーフを収穫して戻ってくる。

（キャベツ千切りにするより、ベビーリーフの方が包丁使わんから楽だよな）

温め直したアジフライの横に、収穫したばかりの新鮮なベビーリーフを添える。マヨネーズを絞って、上から赤ジソの『ゆかり』をふりかけて、ソースがわりにした。普通のソースやタルタルソースに飽きると、たまにこの手のアレンジで気分を変える。

ビール片手に夕飯を食べていると、壁の向こうが気になってくる。

どう見ても引っ越してきたばかりのようだが、一人で大丈夫だろうか。栗坂涼子の従姉妹と言っていたが、彼女から毒気と身長を抜いて、かわりに若さと頼りなさを追加したような娘だった。自炊や一人暮らしの経験も、あのぶんではろくになさそうな感じだ。

フライはまだ余っているし、この場に呼べば来るだろうか――。

（おい、何考えてる、やめとけ。小娘を家に入れるなんて、トラブルのもとだろ）

きっと疲れた末に出てきた気の迷いだと言い聞かせ、残りのアジフライをビールで流し込んだのだった。

「――そう。絶対ありえないと思ったんだけどな……」

「え？」

あれから紆余曲折《うよきょくせつ》があり。葉二は念願通り事務所を辞め、ダイニングテーブルの向かいには、あの栗坂まもりが座ることが多くなった。

「今だから言うけどな、おまえちょっと警戒心なさすぎ。いくら腹減ってたからって、ほいほい男の家にあがりこむな」

「そんなこと、あがらせた人に言われても困りますよ」

まあ確かにそうなのだが。

「あ、おいしいですね、このゆかり入りマヨネーズ。ちょっと梅しそ味になって」

「だろ」

それでも食卓にアジがのぼるたび、ぼんやりとあの日に感じた『気の迷い』のことを思い出すのである。

まったく、人生何があるかわからないものだ。

まもり、夏の終わりにエイリアンを食べる。

——小説一巻の後日談——

——ひどいものを見つけてしまった。

「あ、あ、亜潟《あがた》さーん！」

栗坂《くりさか》まもりは、五〇二号室のベランダで声を張り上げる。

ほどなくして、黒のライン入りジャージに黒縁眼鏡の家主——亜潟葉二《ようじ》が、難しい顔つきでやってきた。

「なんだいったい。虫でもいたのか？」

「それどころじゃないですよ。もっとやばいものに寄生されてますよこのベランダ！　未知との遭遇で遊星からの物体Xでエ、エ、エイリアーンって感じで」

「すまん、本気で意味がわからない」

「いいから見てください、アレ！」

まもりはベランダの、天井近くを指さした。

このベランダは、彼が育てている野菜の鉢でいっぱいだ。窓際にはネットで這《は》わせたニガウリの蔓《つる》が伸び、室内への陽光を遮るグリーンカーテンを作っている。

「……どれ？」

「だからアレですよ。あの、皮が気色悪いオレンジ色で、中から真っ赤な内臓はみ出させてる、クリーチャー的な」

緑色の葉っぱが茂る中で、反比例するかのようにどぎつい色を垂れ流す物体は、嫌でも目立った。

「もう夏も終わりですからねえ……弱ったところを寄生されたって感じでしょうか」

「何言ってんだ。これもニガウリだぞ」

「へ？」

長身の葉二は、まもりでは手の届かない高さにあるブツでも、簡単に触れてしまう。

「緑のニガウリが、熟れるとこの色になるんだ。ほら、こっちのニガウリも、ちょっと色が変わりはじめてるだろ」

「あ……確かに。ちょっとお尻の方が黄色っぽい」

残っていたニガウリと、比べて説明をしてくれた。

「ってことは、そのグロい内臓は……」

「種だ。熟しすぎて割れて、勝手に中身が出てきた」

まもりは呆然《ぼうぜん》としてしまった。

「……か、変わり果てるにも限度がありませんか……」

「まあそう言うな。これはこれで食うとうまいんだぞ」

「ええっ。食べちゃうんですか」

「せっかくだから昼飯に使おう」

「ぎゃー」

嫌だやめてくれとお願いしたのに、葉二はオレンジ色の爆発エイリアンと、ややエイリアンになりはじめたニガウリの、両方を収穫してしまった。


——なんかもう、絶対まずいと思っていたのに。

実際に食卓に上った野菜サラダは、もともと使うはずだったレタスや赤パプリカに加え、エイリアンのオレンジや、なりかけエイリアンの、グリーンや黄色のグラデーションで、カーニバルのような色合いを見せていた。

陽気でカラフルな、にぎやかサラダ。

　しかも思い切って食べてみたら。

「……マイルド。全然苦くないんですね……」

「熟すと、苦みが抜けるからな。炒《いた》めるには物足りないけど、サラダには悪くないだろ」

「嫌いな人はむしろこっちから攻めるべきでは……」

「あとな、デザートもある」

　そう言って冷蔵庫から取り出してきたのは、硝子《がらす》の器に入った、真っ赤な粒だった。

　まもりは青ざめた。

「ま、まさかそれ」

「正解。さっきの種だ」

　まもりはちょっと泣きたくなったが、葉二に勧められるまま、種を口に入れた。

「嘘《うそ》……すっごい甘い」

　野菜というより、完全にフルーツだ。メロンの種の周りを食べているような甘みがある。

「完熟して爆発しかけのニガウリなんて、普通売ってないからな。育てた奴だけの、ボーナストラックだ」

　そう言う葉二の、満足げな顔ときたら。

　まもりは食卓の上のサラダと、完熟種の皿をじっと見つめた。

「亜潟さんに似てる」

「……は？」

葉二は「俺は異星人か」と眉を跳ね上げるが、そういう意味ではないのだ。

——苦いと思ったら、けっこう甘かったりして。

ええ、これがわたしのおいしいごはんと、大好きな人です。

葉二《ようじ》、馬車馬の人参《にんじん》と塩ラーメン。　――小説二巻の裏で起きていたこと――

――これはもう、いよいよ駄目かもしれん――。

東京《とうきょう》は練馬区《ねりまく》在住、職業グラフィックデザイナー。亜潟《あがた》葉二はPCモニターの前で、非常に不吉なことを考えはじめていた。

もとをたどればただでさえ抱え過ぎだった、直近の仕事量を反省すべきかもしれない。やりたいことと、やるべきこと。フリーになったからこそ、内容はよく吟味すべきなのだ。しかしここに来て、さらに追加の案件が舞い込んできてくれた。しかも絶対に断れない筋からの。

（嫌がらせか？　嫌がらせだな）

具体的に誰からのとは言わないが、きっと葉二がのたうち回るのをよしとする、悪趣味な神的な何かが、背後にいるとしか思えない。吠《ほ》えても叫んでも仕方ないので、頭を冷やそうと目を閉じているが、さっきから炎上する絵面しか出てこないのが参る。東京二十三区を海側から蹂躙《じゅうりん》して回るゴジラとか、燃え上がる天ぷら鍋とか、とにかく縁起でも無いイメージ映像だ。

——策がないわけではない。

この不穏なイメージを、具体化させない方法。

まず現実的なところでは、明日の外食をキャンセルさせてもらうことかもしれない。偉そうに「祝う」と言ってしまった、まもりの誕生日だが——。

(三日——いや、二日だけ後ろにずらしてくれれば——)

言い訳の言葉を考えながら、まもりに連絡するため、スマホに手をのばす。

そのまもりから、メッセージが来ていた。

まもり『綺麗《きれい》な夕焼け。明日もきっと晴れですね！』

恐らくは練馬駅のホームで撮ったとおぼしき、茜色《あかねいろ》に染まった空の写真もついていた。

寝室の仕事場にこもっていると、時間の感覚も怪しくなってくるが、表はそういうことになっていたらしい。

「……誰がキャンセルだ」

絶対に間に合わせてやる。

メッセージを見て、別の意味で火がついた気がした。

葉二はあえて立ち上がり、キッチンへ向かった。

食料庫に入っていたのは、袋ラーメンの塩と味噌《みそ》味。ここは悪霊退散の意味もこめて塩で行く。

(具はウインナーがある。あとは、野菜——)

すでに日が沈んで真っ暗なベランダに向かい、とりあえず茂っていた小松菜をむしって戻ってくる。

小鍋に湯と牛乳を入れ、沸騰しかけたところで、皮つきウインナーを投下。一緒に麺も入れて、規定の時間まで茹《ゆ》でる。

時間が来る直前で、洗った小松菜も、手で千切って入れてしまう。まな板どころか包丁もハサミも使わない手抜き調理だが、食べるのは自分なので問題ない。

スープの粉を投入してよく混ぜ、ラーメン丼に移す。仕上げにバターを一かけと、ごまを振れば完成だ。

「小松菜とウインナーの洋風塩ラーメン、できあがり」

テーブルに丼と箸を持って移動し、具と麺をずるずるとすする。

どれだけ切羽詰まっていようと、インスタントラーメンに野菜を投入する余裕が欲しくて始めたのが、ベランダ菜園だった。

「よし食った。作業戻るぞ！」

葉二は気合いを入れ直し、寝室の仕事場へ舞い戻った。

それからの二十四時間は、自己ベストとの戦いだった。結果としていくつかの記録を更新し、何事もなかった風体でまもりの部屋のインターホンを押すことにも成功したので、これは誰にも知られることのなかった苦労話である。

湊《みなと》、醤油《しょうゆ》ラーメンに真理を見る。
――小説二巻の後日談――

「――あれまもり。今日はお弁当？」

それは大学で午前中の二コマが終わり、やっと来たお昼タイムの出来事だった。

具志堅《ぐしけん》湊が学食の行列に並んでラーメンを調達してきたところ、友人の栗坂《くりさか》まもりは、鞄《かばん》から弁当箱を取り出したのだ。

「珍しいね。コンビニ派なのに」

「たまにはね。朝ご飯の余りとも言うけど」

カラフルなお弁当箱には、綺麗に切りそろえたジャムサンドと、野菜スティックが入っていた。

湊は席につき、ラーメンをすすりながら訊《たず》ねる。

「おいしい？」

「まあまあ。わりと癖はない方かも」

「なんか不思議な色のジャムサンドだね。それ、イチゴジャム？」

「ううん。これはビオラとパンジー」

「へ」

「けっこう簡単にできるんだよ。花と同じ分量のお砂糖入れて、電子レンジでチンしてかき混ぜるの。お花のジャム」

まもりは平然と、花入りのサンドイッチをぱくついている。

「……もしかしてそれ、亜潟《あがた》さんのベランダに生えてたやつ？」

「そう」

ああ、やっぱりか。

友人の彼氏は、ちょっとばかり変わっている。

家が近所を通り越して隣同士なのは羨ましいかぎりだが、やたらと人使いの荒いジャージ眼鏡で、湊は「ないわ」と遠慮した側である。

「そりゃ料理はうまいかもしれないけどさー、まもりもけっこう物好きだよね。毒舌園芸ジャージ……」

「ジャージジャージ言わないでよ。普通にすれば格好いいんだよ亜潟さん」

「ワオ。恋は盲目」

湊は外国人風に肩をすくめた。するとまもりは妙に反抗的な半眼になり、黙ってスマホを差し出してきた。

画面に映るスーツ姿の美形に、湊はナルトを吹きそうになった。

「ちょっ、何このモデルみたいな人！」

「だから亜潟さん。こないだ誕生日にご飯食べにいった時の」

「イケメンじゃない!?」

「だからそう言ったでしょ」


そうだ。あの時も、湊が食べていたのは醤油ラーメンだった。

「……食いしん坊と面食いが合わさっちゃったらなー、そりゃ落ちるかー」

まさしく合わせ技一本。ずっと謎だった友人の恋に合点《がてん》がいったのと同時に、ちょっとぐらっとくるほど整った美形ぶりだったことを思い出した。

思わず隣の席でチャーシュー麵大盛りをすすっている、己の彼氏をまじまじと見てしまう。小沼周《こぬましゅう》。どうがんばってもモデルではなく、モデルを撮る側の人間だ。

「なに」

「大丈夫。私は面食いじゃないから。そういうのは卒業したから」

「意味わかんないっす姉さん」

わかんなくていいのだ。

好きなように映画の趣味が語れて、ラーメン屋の食べ歩きも好きな奴を選ぶ人間がいる一方で、友人のような、料理の腕と顔面偏差値に落とされる奴もいる。

（まもりは違うって言うかもしれないけどさー）

あのベランダで野菜を育てるとか。そんなに面白いのだろうか。

たぶん世の中いろいろいるから、争いが起きなくて平和なのである。

まもり、おいしいお散歩。――小説三巻の間に起きていたこと①――

「それがですね、とってもとっても立派で素敵なお庭だったんですよ」

「はいはい、もう何度も聞いたわ」

「いつもの道から、ちょっと曲がって奥に入っただけなんですよ。花壇もシクラメンとかパンジーとかがいっぱい咲いてて、庭木の白樺《しらかば》が綺麗で、柑橘《かんきつ》っぽい木には実が沢山なってて」

「で、それを柵越しにぽかーんと口開けて見てたわけだろ？」

「……口は開いてなかったと思いますけど」

「でも物欲しそうに見えたんだろ。わざわざ家の人がガレージから出てきて、こんなにもいでくれたわけだから」

葉二《ようじ》はキッチンのシンクに置かれた、ビニール袋をつつく。中にはゴルフボール大の、黄色い柚子《ゆず》の実が沢山入っている。

確かに彼が言う通り、この柚子はまもりが散歩の途中に貰《もら》ってしまったものだ。いくら恐縮して辞退しようとしても、「いいからいいから、落ちるぐらいあるから」とこの有様《ありさま》である。

「……人相の改善が必要ですかね、わたし」

「まあ害はないツラってことだろ。じじい受けが良くて得したな」

「は？」

「ともかくせっかく貰ったんだ。うまく使ってやりたいよな」

「そ、そうなんですよ。全部お風呂に入れるのも、もったいないし……」

こうして自分だけではもてあまし、葉二のところに持ってきてしまうのも情けない話ではあった。

「とりあえず俺にできそうなのは、今煮てるこいつにかける味噌《みそ》を、柚子味噌にするぐらいか」

葉二はそう言って、くつくつと音をたてる鍋をのぞき込む。ちなみにこの間の練馬大根の余りを、出汁《だし》昆布と一緒に煮ているのだ。

「柚子味噌は別の小鍋に味噌と砂糖とみりんを入れて、そこにすり下ろした柚子の皮と、絞った柚子の果汁を入れる」

「あ、いい匂い」

「焦げないように煮詰めて、照りが出たらOK。煮えた大根にかければふろふき大根のできあがりだ」

「やった！」

立派に一品完成である。

食卓に上ったふろふき大根は、柔らかく煮込んだ練馬大根の優しい味に、柑橘のさわやかな香りが引き立つお味噌がかかる、上品で素敵なコンビだった。

「皮だけ天日で乾燥させて、塩と混ぜて柚子塩にするって手もあるぞ。冷《ひ》や奴《やっこ》に合う」

「いいじゃないですか」

「でもまあ、今はふろふきだ。この時期は煮物がいい」

「おいしい柚子味噌になりましたって、今度お礼言いに行こう」

「行っとけ行っとけ。その方がじいさまも喜ぶだろ」

「……ねえ亜潟《あがた》さん、さっきからじじいとかじいさまとか、なんでおじいさん前提なんですか？」

「違うのか？　ガレージにいたんだろ。まさかばあさまの方だったのか？」

「全然違いますよ。亜潟さんより年下の人だと思いますよ」

葉二の箸を持つ手が、ぴたりと止まった。

「何歳ぐらいだったかなあ。就職して二年目って言ってたから、二十三か四ぐらい……？　休みなのに、車洗うぐらいしかすることないって言って笑ってました。面白い人でしたねえ……」

「…………ただのフリーのアピールだろうが……」

葉二は早口に吐き捨て、一口で大根の残りを食べてしまった。

「──ともかくまもり。その家の庭は、俺も一度見てみたい」

「あっ、そうですか？　じゃあ今度は一緒に行きましょうね。ほんとに素敵なお庭なんですよ」

「……油断も隙もありゃしねえな……」

葉二が渋い顔になる一方で、まもりは休日散歩の仲間ができて嬉《うれ》しかった。

──気の向くままにてくてく歩いて、日が陰って寒くなったら、手をつないでくれますか？　亜潟さん。

葉二《ようじ》、今日はなんの日『バ』のつく日。――小説三巻の間に起きていたこと②――

それは、二月のある夜のことだ。

亜潟《あがた》葉二は、二泊三日の出張を終えて五〇二号室に帰宅した。

仕事の内容自体はまあいい。わざわざ急ぎで香港《ほんこん》まで行って、本当に撮影しかしてこなかったことにはうんざりするものがあるが、今はとりあえず帰ってきたという事実の方が大きかった。リビングの明かりをつけ、スーツケースとビジネスバッグをテーブル近くに置こうとして、はてと違和感を覚える。

「……なんだこりゃ」

ダイニングテーブルの上に、大量のチョコレートが散らばっているのだ。

チョコはチョコでも、駄菓子のチロルチョコ。しかしグラフィックデザイナー歴八年の葉二は、その散らばりっぷりを見てぴんと来た。九十度横に回り込むと、「やっぱり」とうなずく。

人文字ならぬチョコ文字だ。チロルチョコ十数個を使って、確かに『バカ』と書いてあった。

（バカ……？）

時計を見れば、午後十時半。葉二はやや迷いながら、心当たりに電話をかけてみた。

「……あの、まもり？　このチョコはなんのつもりだ……？」

部屋の合い鍵を持っているのは、まもりと甥《おい》の北斗《ほくと》ぐらいだ。そして今回の出張でベランダの水やりを頼んだのはまもりなので、必然的に容疑者は絞れる。

『ああ、お帰りなさい亜潟さん。そっち行きますね』

問題のまもりは、わりとあっさり隣から出頭してきた。

彼女はコートを来たままの葉二を見上げるなり、深々とため息をついた。

「なんなんだよ、おい」

「伝わってないなあって思って……」

「は？　バカの二文字がか？」

「今日は何月何日ですか？」

「二月十六日だろ。そこまで耄碌《もうろく》してねえぞ」

「そうですね。その二日前は？」

「二月、十四——」

実のところ、半分言ったあたりで『しまった』とは思ったのだ。その思った瞬間と、まもりが子イノシシの突進のように抱きついてきたのがほぼ同時だったので、何も言えなくなってしまった。

葉二が慌ただしく成田《なりた》へ向かった日は、バレンタインデーでもあったのだ。

「出張あるなら当日とかじゃなくて、もっと早く言ってくださいよ。こっちは生チョコでお菓子作ってたんですけど！」

こちらの胸に額を押しつけ、たまに拳で叩《たた》きながらの抗議が、必死なぶんだけおかしくて、葉二は口元が緩まないようにするだけでも大変だった。

「手作りのチョコなんて、二日も三日も取っておけないじゃないですか。仕方ないから自分で食べましたよ。全部自分で食べましたよ。おいしかったですよザマーミロ」

「まもり、もういい、わかったから」

「気力も資金も尽きたんでチロルチョコになりました、あしからず！」

本当にもう、こいつって奴は——。

葉二はしがみついたままの恋人をどうするべきか考え、両手を回して持ち上げてみた。

「ひゃ！」

このまま寝室に持っていくという案にも惹《ひ》かれたが、恐らく殴られるだろう。なのでいったん下ろし、ぽかんと目を丸くしているまもりの額に口づけた。

「悪かったな、余計な手間かけさせて」

「……手間じゃなくて、食べてほしかったんですけど」

「だったらまた作ってほしいんだが。駄目か？」

そういう問題じゃない、とまた彼女は言うかもしれないけれど。不出来な男としては、仕切り直しを頼むしかないのだ。

腹をたてているはずのまもりの声が、「……しょうがないですね」と少しだけ甘くなる。

——まったく、チョロいにもほどがある。

何、どちらがだって？　聞くな、そんな野暮なこと。

北斗《ほくと》、叔父の言い分に耳を傾ける。

——小説四巻の裏話——

夏休みの葉山《はやま》旅行、一日目。海水浴を終えた後、まもりの恐ろしい運転でたどりついたのは、横須賀市《よこすかし》の国道にある農産物直売所、『すかなごっそ』であった。

大きな駐車場を備えた倉庫状の施設は、近隣の農家が直接搬入した野菜が大量に並べられ、壮観な眺めである。大型バスで乗り付けてくる観光客の数も、かなり多い。

「うわ。すごーい！　見て亜潟《あがた》さん、野菜だらけ！」

「色々ありそうだな」

北斗の叔父の葉二《ようじ》と、その彼女のまもりは、嬉々《きき》として野菜の海へと突っ込んでいった。

デザイン事務所勤めで激務のあげく、家で野菜を育てることにはまりだした時はどうなることかと思ったが、まもりのような可愛《かわい》くて理解のある彼女がちゃんと見つかるのだから、世の中よくできているものだと北斗は思う。ぶっちゃけとても羨ましい。

平凡な一高校生である北斗は、そこまで野菜というものに執着はない。ぐるりと施設の中を一周すると、すぐに暇をもてあましてしまう。

「叔父さん叔父さん」

「――北斗か。まもりたちはどうした」

「まもりちゃんは、スイカの前でウンウンうなってる。ユウキは入り口でゲームやってる」

「わかりやすいな」

葉二が苦笑した。

北斗は手持ちぶさたで、目の前にあるカボチャを手に取る。見た目のわりに、ずっしりと重い。

「そのカボチャ、畑で完熟させてから出荷してあるんだと。かなりの贅沢品《ぜいたくひん》だぞ」

「ほー」

気のない声で、北斗は返事をする。そういうウンチクは、彼女に垂れ流してやれと思う。きっとむちゃくちゃ感心してくれるから。

「にしてもさー、叔父さん」

「なんだよ」

「せっかく海来たのに、まもりちゃんのビキニろくに見られなくていいの？　つまんなくね？」

葉二が、いぶかしげな顔でこちらを見た。

「……いきなりなんだ」

「いやさ、ほんとオレのせいだとしたら、さすがに悪いなと思って」

誘ってもらって浮かれてついては来たが、完全な邪魔者と化しているなら、謝るぐらいはしないといけないと思ったのだ。それぐらいの分別は、北斗も持ち合わせているのである。

葉二は答えるかわりに、北斗の頭を、横からぐしゃぐしゃとかき回した。

「何すんだよ」

「今さら余計な気は回すなって。クソガキのくせに」

「クソガキってなんだよ、気ぃ使っちゃ悪いのかよ」

「おまえが休みのたびに暇もてあましてきてたのは、姉貴から聞いてたからな」

葉二の手を払いのけようとして、ちょっと止まってしまったのは——不意打ちだったからだろう。

母一人、子一人の母子家庭で。仕事が忙しい『おかん』に無理も言えずに、家にいた。それが北斗にとっての夏休みだった。

「姉貴も俺も、どうにかしてやりたくても、仕事でどうにもならなかったからな。たまにはいいだろ、こういうのも」

やばい。ちょっとこれは、胸にくるというか――。

「…………いや、それってオレが小学生の頃で……」

「だいたいまもりの水着なら、家にいる時充分見たからいいんだ」

――ん？

しれっと言ってくれたが、今この人、なんて言った？

葉二は何事もなかったように、おかしな形のカボチャを手に取って、売り場を離れていく。

思わず声が出た。

「き、きたね――っ！」

人混みの間で振り返った葉二が、にやりと笑う。ものすごく嬉《うれ》しそうだった。

――まったく。こういう叔父さんだから油断してはいけないのだと、あらためて思う北斗であった。

葉二《ようじ》、違いがわからない男。

――小説四巻の後日談①――

バイトが終わったら、美容院に寄る。そう言っていたはずのまもりは、浮かない顔で葉二宅のキッチンに現れた。

「……その顔は……カットに失敗したのか……」

帽子をいつもより目深にかぶったまま、まもりは深々とうなずく。帽子のてっぺんに、『死にたい』と書いてある気がした。

「…………もういいです。夏が終わるまで帽子かぶって過ごします。限界まで引きこもる……っ」

「なにアホなこと抜かしてんだ。飯時までかぶってるなんて許さねえぞ」

「ああ！」

葉二は腕のリーチを活《い》かして、素早くまもりの帽子を奪い取った。

「なんだよ。いったいどこを失敗したんだよ」

心からの台詞《せりふ》であった。帽子の中におさまっていたのは、いつもの栗毛《くりげ》にショートボブである。

「てっきり頭のてっぺんに、ハゲでも作られたのかと思ったぞ」

「………そんなことがあったら首をくくります。細胞が生きることを拒否します」

「女心がわからねえとか言われてもいいが、本気で違いがわからん」

高度な間違い探しでも解くような気分である。

まもりは頭を両手でおさえたまま、口をへの字に曲げた。

「……違いがないのがいけないんですよ」

「なんだって？」

「伸ばしたいから揃《そろ》えるだけってお願いしたのに、担当の美容師さん、いつもの癖でジョキジョキ行っちゃって……」

どうもそれで、うちひしがれる事態になっているようである。葉二としても、呆《あき》れるしかなかった。

「別にマイナスになったわけじゃねえんだから、そこまで悲観することか？」

「……そーなんですけどー……」

「ほれ。手ぇ洗って飯の支度、手伝ってくれ。今日は豚しゃぶ丼だぞ」

葉二が言うと、まもりはノロノロと動きはじめた。不機嫌でも食には忠実なあたり、本当に食い意地のはった娘であった。

「——にしてもまもり。そもそもおまえ、髪伸ばすつもりだったのか？」

作った豚しゃぶ丼を食べながら、葉二は訊《たず》ねた。

ちなみに偉そうなメニュー名がついてはいるが、いつもの海鮮サラダ丼の刺身のかわりに、錦糸卵と茹《ゆ》でた豚肉をのせただけの簡単メニューである。薬味で紫蘇《しそ》やネギを足したり、和風ドレッシングのかわりにごまドレを使うのが、最近のブームだ。

向かいのまもりは、うなずいた。

「こう、胸ぐらいまでの長さにして、ふわっとパーマかけるか巻くとかしてみたらどうだろうと。前髪なんかも横に流して」

「想像つかんというか、似合う気がしないんだが」

「なんかみんなそう言うんですよねー……」

不本意そうにため息をつくが、彼女の周りにはしっかりした人間が多そうで、葉二は逆に安心した。

「駄目かあ。ちょっとは大人っぽく見えるかと思ったけど」

嘆息するまもりは、彼女なりになりたいビジョンがあるようである。

年をとれば、一ミリでも若く見せたがるものだが、今の彼女にとっては、その若さが足かせに見えるのだろうか。

「……まあ、そんな極端なところに行かんでも、なんかしら似合う格好はあるんじゃないか？」

「そうですかね」

「俺は今のまもりの髪型、気に入ってるけどな」

何せなで心地が良いので。

これで変にアップにでもされると、その楽しみが奪われるかもしれない。そう思う葉二であったが、まもりはにやにやと笑いだすのである。

「……なんだよ」

「わたし、髪伸ばしません」

「は？」

「ふふふふ」

嬉しそうに含み笑いをし、ベランダの野菜満載の丼をぱくつくのであった。

まもり、看病にはりきる。

――小説四巻の後日談②――

珍事である。あの亜潟《あがた》さんが。毒舌園芸ジャージ、我が道を行くフリーデザイナーの亜潟葉二《ようじ》が――風邪をひいた。

「鬼のカクラン……」

「……なにスマホで撮ろうとしてるんだよ……」

「だって寝てるの珍しいから……ちょっと起きないでくださいよ」

「頼むまもり。俺は今、怒鳴る気力もないんだ」

「あ」

葉二はまもりからスマホを取り上げると、そのままスマホごと布団の中にもぐりこみ直してしまった。

――返してくれ、と言って揉《も》めるのも可哀想《かわいそう》な感じだった。気分が悪いのは、本当のようだし。

「わかりました。どうせバイトもないですし、今日は亜潟さんの看病に専念させてもらいますよ」

「……そんなことしなくていい」

「おかゆとおうどんだったら、どっちが食べたいですか？」

「聞いてるのか」

「なんか食べないと駄目ですよ。とりあえず、おうどんでいいですかね」

多めに作れば、まもりのご飯にもなるだろう。そう決めたまもりは、ベッドに葉二を残して、寝室のドアを閉めた。

さて——ご飯作りだ。まずは葉二の部屋のキッチンを勝手に漁《あさ》ってみると、冷凍庫にうどんと油揚げを発見した。基本はこれでいいだろう。

「めんつゆを薄めてお鍋に入れて、凍ったおうどんも入れて、あとは……野菜かなあ」

何かいいものはあっただろうかと、ベランダに行ってみる。

春先のベランダには、冬野菜の名残と、植えたばかりの春野菜が混在していた。

(芽キャベツ……ってなんか消化にいいのかわかんないな。かぶ？　とかどうだろう。七草がゆにも入ってるし)

せりなずな、ごぎょうはこべらほとけのざ。すずなすずしろ、春の七草。『すずな』が蕪《かぶら》の別称である。育った小かぶを一株ちょうだいし、葉っぱごと料理してしまうことにした。

洗ったかぶの葉をみじん切りにし、本体の方は皮をむいて適当に切る。短冊に切った油揚げも一緒に鍋に入れたら、柔らかくなるまで加熱するべし、だ。

収穫に使ったザルを洗っていたら、手が滑って床に落ちた。

(やば――)

かなり大きい音をたててしまったので、葉二に怒られるかと思いきや――寝室のドアが開く気配はない。寝ているのかなと、ほっと胸をなでおろしながら作業を再開する。

「………………」

念のため、と寝室のドアを開けてみた。

「ちゃんと寝てくださいよ！」

「いや、メールの返信だけ……」

「ふしゃー！」

全身の毛を逆立てて怒ったら、葉二はPCをいじるのを止め、やっと布団に戻ってくれた。油断も隙もありゃしない。

「──はーい、亜潟さん。食べられるなら食べてください」

できあがった煮込みうどんを、お盆にのせて寝室に持っていった。

「別にわざわざ持ってこなくても、ダイニングで食えるが……」

そう言いながらも、葉二はのそのそと起き上がり、布団にお盆をのせて箸を持った。

「具は小かぶと油揚げか……片栗《かたくり》で綴《と》じたんだな」

「そうですそうです。その方があったまるかと思って」

「ショウガも効いてる」

味付けは家で母が作っていたものを思い出しながらだったが、なんとかなったようだ。

そのことにほっとする。

「とりあえず、お大事にしてくださいね」

「……うん。まあ、ありがとな」

「ふふ。今日はもう、わたしのことお母さんだと思ってください」

「ぶっ」

なぜか葉二が、唐突に咳《せ》き込みはじめた。

「だ、大丈夫ですか亜潟さん！」

「…………そこは……嫁に、してくれ……」

「え、なんですって？」

息も絶え絶えに訴えられるが、違いがよくわからないまもりであった。

まもり、練馬《ねりま》のビルは緑色と知る。
――小説四巻の後日談③――

練馬駅から徒歩五分。練馬区役所の庁舎は、夏になると緑色になる。

いわゆる蔓《つる》性の植物をネットに這《は》わせて、日差しを遮るグリーンカーテンが登場するのだ。

「……え。あれれ？」

栗坂《くりさか》まもりがその事実に気づいたのは、八月の盛夏であった。

駅前から自宅マンションへの帰り道、通りがかった区役所のビルを見上げ、ニガウリがなっているにしては雰囲気が変なものが混じっているなと思ったのである。

「もしかして亜潟《あがた》さん。ここのグリーンカーテンって、実はニガウリだけじゃなかったりします？」

ちょうど隣を歩いていた年上彼氏――亜潟葉二《ようじ》は、まもりの発言の方に驚いたようだった。

「なんだと思ってたんだ。朝顔もあるし、ヘチマも植えてあるだろ」

「ヘチマ?」

「ああ。ニガウリと同じ蔓性で、グリーンカーテン向けの植物の一つだ。もっと近くで見りゃ、ニガウリと全然違うのがよくわかるぞ。ほら」

彼は無造作にまもりの手を引き、西庁舎一階の周りに置かれたプランターに近づいた。

大型プランターから伸びる茎や蔓は、確かに葉二の部屋のベランダに生えているニガウリと同じものもあるが、より太くて丈夫そうな蔓もある。葉も大柄で、黄色い花もニガウリの一・五倍といったサイズである。実はニガウリと同じ緑のバナナ型ながらも、全長や重量はニガウリの倍以上はあるビッグサイズ。

確かに通常なら、まずニガウリと取り違えようがない植物かもしれない。

「なるほど……なんかベランダとスケールが違いすぎて、縮尺が狂って見えちゃうんですね……」

「まあな。今んとこ五階ぐらいまで生えてるしな……」

葉二も強い日差しに目を細めながら、蔓の先端を見上げる。

パレス練馬にたとえるなら、一階からまもりの部屋まで到達しているということだ。一番上の方を覆っているのは、ほぼヘチマだったようだ。

ここまで巨大で、かつビルの幅全面を覆いつくす規模のグリーンカーテンというのは、そうない気がする。ニガウリの倍はあるヘチマが壁面にぶら下がっていても、遠目には家のニガウリサイズに見えてしまうというか。

「うちのベランダでヘチマ生やしたら、たぶん大きすぎますよね」

「そうだな。他の夏野菜を全部取っ払ったら、いけるかもしれんが」

「ああー、それはダメ。トマトに茄子《なす》にピーマンに紫蘇《しそ》！　トウガラシも！」

「だからニガウリでいいんだよ。今日はニガウリと梅干しで、焼きめし作るからな」

「いえーい」

「上におぼろ昆布たんまり散らして」

葉二の提案に、まもりは大喜びで手を叩《たた》いた。『食えるものしか育てない』と言い切るベランダ菜園オタクとのおつきあいは、二重の意味でおいしいのである。

――そして、後日談を一つするなら。

その日もいつものように、葉二のベランダで育てた野菜を使った食事を、葉二と一緒に食べていたのだ。

「なあ、まもり」

「はい」

葉二が醤油《しょうゆ》の瓶を取りながら、おもむろに口を開いた。

「今日な、区役所の前を取ったんだよ」

「それが何か」

「庁舎の屋上からクレーンでゴンドラ降ろして、ヘチマ収穫してた」

まもりの味噌汁《みそしる》を飲む手が、ぴたりと止まる。

「……ゴンドラって……あれですか？　ビルの窓ふきに使ったりする、大きな鉄製の」

「そうあれ」

あれなのか。

ゴンドラいっぱいに収穫したヘチマと、お役所の人が降下していく様を想像する。

「……シュール」

——東京都練馬区。

——葉二もまもりも、なかなか面白い街に暮らしているようである。

湊《みなと》、友人の彼氏を肴《さかな》に盛り上がる日。　――小説七巻の前日譚《たん》①――

初夏である。気温も上がり、表を出歩くのも気持ちがいい季節だ。

具志堅《ぐしけん》湊が通う律開大《りっかいだい》は、東京都豊島区《とうきょうととしまく》は池袋《いけぶくろ》にキャンパスがある。学内のカフェテリアも、この時期は屋外のテーブルを使う人間が多かった。湊たちもその一員だ。

「新宿《しんじゅく》だろ」

法学部三年、小沼周《こぬましゅう》が断言する。これでも一応、湊の恋人である。

「渋谷《しぶや》でしょ。あの高低差は初見殺しすぎるさー」

「東京駅」

これは佐倉井真也《さくらいしんや》。周と同学部の男友達だ。

「京葉線《けいようせん》に乗ろうと思いさえしなきゃ、わりと素直じゃ？」

湊も湊で、意見を述べる。ちなみにお題は、『東京で迷いやすい駅はどこ』という、非常にくだらないものであった。

「意外と池袋もわかりにくいよね」

そう言ったのは、文学部三年、栗坂《くりさか》まもり。湊の親友だ。

「西と東の区別がしにくいって言うかさ。なんで東武百貨店が西口にあって、西武百貨店が東口にあるの」

「それな！」

「大学入ったばっかりの頃に、出口が東武百貨店側にあるって覚えてたせいで、間違えて東口に出ちゃったことあってさ。葉二《ようじ》さんに話したら、めちゃめちゃバカにされたよ」

「あー、栗坂の彼氏だっけ」

周が、手持ちのアイスコーヒーをいじりながら相づちを打った。

「なんか俺だけ、顔とか見たことないんだよな。湊も真也も直《じか》に会ってるってのにさ」

「人選ぶタイプなのは間違いないさー」

湊は微妙な気分で答えた。まもりが好きになった相手なだけあり、決して悪い人でないのはわかっているが、クセの強さも相当なものだ。真也も無言でうなずいている。

「隣に住んでるサラリーマンなんだろ」

「違う違う。今は在宅フリーで、年がら年中ジャージばっかり着てる、口悪めのデザイナーよ。ベランダは野菜の苗でいっぱいで、料理はできるけど、性格は斜め四十五度ぐらい曲がってる感じ？」

「どんな人なんだよいったい……」

周はすっかり怖じ気《おけ》づいたようだ。

「んー。それじゃ小沼君。これから会ってみる？」

「え。マジで？」

当のまもりが、スマホを操作しながらうなずいた。

「今ね、仕事の打ち合わせで池袋まで出てるんだって。待ち合わせの場所、ここにしたら普通に来てくれると思うけど」

「うわ、すげえ」

「――OKだって。十分ぐらい待ってて」

言われた通り、湊たちは亜潟《あがた》葉二の到着を待つことになった。

こちらの脳内にあったのは、黒のライン入りジャージに瓶底眼鏡で、お客を罵倒とともにこき使う、いつもの亜潟葉二であったが――。

「あ、葉二さん。ここだよ、ここ」

うっ、と湊は息をのんだ。

学生だらけのキャンパスの間を歩いてきたのは、お洒落《しゃれ》そうなブランド物のスーツに身を包んだ、三十前後のイケメンだった。ジャージではなかった。眼鏡もかけていなかった。

「東口側にいたから、移動に苦労したわ――おお、沖縄《おきなわ》出身友人Aか。久しぶりだな」

「……………ど、どうも。お久しぶりです……いつぞやはお世話になりました……」

「そっちが友人Aとつきあってるやつか。映画撮ってるんだって？」

「ええまあ、そんな感じっすね……」

「それじゃ湊ちゃんに、佐倉井君と小沼君も。わたしたち、そろそろ行くね」

まもりが、そんな非の打ち所のないイケメンと一緒に、連れだって歩きだす。湊たちは言葉もなく、二人が立ち去るのを見送ってしまった。

沈黙の中で口火を切ったのは、小沼周である。

「――うっわー、なんだあれ。モデルか俳優かってイケメンじゃねーの！」

「そうだったわ……前にも写真見せてもらったことあったわ……」

湊は思わず額を押さえる。ド忘れするとは、我ながら不覚だった。

ジャージ眼鏡のクソださ亜潟葉二は、あくまで家の中の仕様。仕事で外出となれば、本当にあそこまで化けるようである。

「まあでも、ああして見るとけっこうお似合いだな」

「かもな。意外なぐらい」

周と真也が話している。

冷静になってみれば、確かに。一年の時に見せてもらった写真では、葉二の甘いところがまったくない美形っぷりに対し、まもりが少々子供っぽくアンバランスに写っていたが、三年になった今はそれほど違和感がない。隣に並んでしっくりして見える。

葉二の角が取れたのか、まもりが成長したのか――。

いずれにしても、悪いことじゃないよと湊は思ったのである。どうぞ友よ、お幸せに。

まもり、屋上庭園でニアミスする。
——小説七巻の前日譚②——

初夏である。気温も上がり、表を出歩くのも気持ちがいい季節だ。

律開大学《りっかいだいがく》三年、栗坂《くりさか》まもりは、上機嫌で夜風にあたっていた。

「はー。わたし、ここでご飯食べながらお庭見るの、けっこう好きなんですよね。のんびりしてて」

場所は、大学がある池袋《いけぶくろ》。西武百貨店の九階にある、屋上庭園である。

モネの庭をヒントに造成した、本格的な庭園や池を見ながら、ベンチやテーブルで食事ができる。夜には庭全体がライトアップされ、雰囲気も上々だ。

今日は葉二《ようじ》が仕事で池袋まで出ていたので、待ち合わせて外食となった。打ち合わせ仕様で、ちゃんとした格好の葉二と食事ができる機会は、意外とないのである。

「まあな。俺は飲めるなら、この際どこでもいいわ。仕事上がりの一杯は最高だ」

「またそういうこと言う」

注文したピザを、生ビールで流し込みながら、葉二は身も蓋もないことを言う。お庭の端にある、稲荷神社《いなりじんじゃ》の罰でも当たれと思った。

「いいじゃないですか。食べ終わったら、あそこのガーデニングショップだって、覗《のぞ》き放題なんですよ」

「食える苗売ってねえじゃねえか。小洒落《こじゃれ》た多肉と洋蘭《ようらん》ばっかで……」」

「たまには小洒落たいからいいんです。わたしは別に、食用専門じゃないですし」

そうとも。一緒にしないでほしい。

お腹《なか》がいっぱいになった後は、同じ屋上にある園芸関係のショップを冷やかしに行く。

葉二が言う通り、売っているものは観葉植物が中心だが、可愛《かわい》いサボテンや珍しい鉢花を見るだけでも気分が上がった。

葉二もなんだかんだと言って、実がなるオリーブの鉢植えなどを、真剣に見ていたりするのである。

「お隣の店は……お魚関係みたいですね」

ガーデニングショップに並んで、屋上にはアクアリウムのショップがあった。

こちらは店の中に数々の水槽が並び、外にも生け簀《いす》が設置され、エアレーションの音がぶくぶく響いてかなり物々しい。

「……こういうところ見てると、あの魚小僧とかいそうな気がするな」

「葉二さん鋭い。佐倉井君《さくらい》だ」

葉二が「はっ？」と驚くが、本当なのだ。あのメダカの生け簀の前にいる青年は、どう見ても佐倉井真也《しんや》だろう。大学でいったん別れたものの、こんなところで再会とは。

「おーい、佐倉井君」

まもりが呼びかけると、真也がこちらを振り返った。

「栗坂……と亜潟《あがた》葉二……」

「二度目ましてだねえ。わたしたち、隣のガーデニングショップを見てたところなんだ」

「そうか……」

「ご飯も食べられるしさ。ここいいとこだよね」

「いや……それはそうなんだけど……」

笑顔で話すまもりに対し、真也はあまり目を合わせようとしない。落ち着きなくあたりを見回して、気もそぞろといった雰囲気だ。

ぴんと来た。

「あ、もしかして一人じゃない？」

例の彼女さんではないだろうか。

まもりの予想は当たったようで、真也はまともに言葉に詰まってしまう。

「……悪い栗坂」

「いいよいいよ。邪魔しちゃってごめんね」

「邪魔じゃないけど、たぶん面白がられるから」

「またまた。じゃあね」

真剣に言い訳をする真也がおかしくて、まもりは笑ってその場を離れた。

「それじゃ葉二さん、行きましょうか」

なんとなく人恋しくなって、どさくさに紛れて葉二の手を握った。葉二もそのままでいてくれた。

去りゆき際、一度だけショップを振り返った。

色とりどりの金魚やメダカが泳ぐ生け簀を前に、真也の横にはＯＬ風の綺麗《きれい》なお姉さんがいた。お姉さんは生け簀を指さし、そんなお姉さんを見る真也の目は、とても優しそうだった。

（うん）

なんだかこちらまで、くすぐったくて嬉《うれ》しくなってしまうではないか。

「逃した魚は大きいってほんとだな……」

「おい。おまえ今、なんて言った」

妙に焦った様子の葉二の存在を身近に感じながら、まもりは胸中で呟《つぶや》くのである。どうぞ友よ、お幸せに。

この作品はフィクションです。実在の人物や団体などとは関係ありません。

まもりと葉二のおいしいベランダ。クッキングレシピ11

シンガポール・チキンライス

材料（3～4人ぶん）

・鶏胸肉……………………1枚
・鶏もも肉……………………1枚
A｜・塩……………………小さじ2/3
　｜・酒……………………大さじ2
・薄切りショウガ……………………3枚
・生野菜……………………パプリカやトマトなどお好きな物
・ネギの青い部分………1本分
・ごま油……………………適量
・タイ米(または普通の米)………2合
B｜・おろしニンニク…1かけぶん
　｜・おろしショウガ…1かけぶん
・塩……………………小さじ1

① 鶏肉は周りの脂を取り除き、Aをもみ込んで10分おく。脂はライス用に取っておく。
鶏肉を鍋に入れ、水3カップ（分量外）、ショウガ、ネギを加えて火にかける。
沸騰したらアクを取り、蓋をして弱火で15分ゆでる。
火を止め、ショウガとネギを取り出し、茹で汁は取っておく。
肉を流水で洗い、氷水に10分ほどつけておく。食べやすい大きさに切る。

② 鶏の脂をフライパンに入れてよく油を出し、Bを弱火で炒める。
香りが出たところで米を入れ、全体に油が回ったところで炊飯器に移す。
塩小さじ1、①の茹で汁を2合の目盛りまで入れ、普通に炊く。

③ 炊き上がったライスと鶏肉を皿に盛り、鶏肉にはごま油を回しかける。
生野菜を添え、スイートチリソースや醤油と砂糖を
2:3で煮詰めた黒醤油ソースでいただく。

一口メモ

まもり：丸鶏一羽調理は無理なので、胸肉ともも肉で作るご家庭版です！

葉二：根性なしが……

まもり：現実的と言ってください

葉二：甘いタレが嫌なら、ネギとショウガを刻んで塩、ごま油で作るジンジャーソースもお薦めだ

まもり：どうぞなにとぞめしあがれー

初出

まもり、夏の終わりにエイリアンを食べる。——初出：二〇一六年「シリーズ1巻発売記念特典　書店配布ペーパー」

まもり、ラーメンは味噌が好き。——初出：二〇一六年「シリーズ2巻発売記念特典　書店配布ペーパー」

湊、醤油ラーメンに真理を見る。——初出：二〇一六年「シリーズ2巻発売記念特典　書店配布ペーパー」

葉二、馬車馬の人参と塩ラーメン。——初出：二〇一六年「シリーズ2巻発売記念特典　書店配布ペーパー」

まもり、おいしいお散歩。——初出：二〇一七年「シリーズ3巻発売記念特典　書店配布ペーパー」

葉二、今日はなんの日『バ』のつく日。——初出：二〇一七年「シリーズ3巻発売記念特典　書店配布ペーパー」

まもり、練馬のビルは緑色と知る。——初出：二〇一七年「シリーズ4巻発売記念特典　書店配布ペーパー」

葉二、違いがわからない男。——初出：二〇一七年「シリーズ4巻発売記念特典　書店配布ペーパー」

まもり、看病にはりきる。——初出：二〇一七年「シリーズ4巻発売記念特典　書店配布ペーパー」

北斗、叔父の言い分に耳を傾ける。——初出：二〇一七年「シリーズ4巻発売記念特典　書店配布ペーパー」

葉二、午後七時のお一人ごはん。——初出：二〇一八年「シリーズ5巻発売記念特典　書店配布ペーパー」

湊、友人の彼氏を肴に盛り上がる日。——初出：二〇一九年「富士見L文庫5周年フェア」

まもり、屋上庭園でニアミスする。——初出：二〇一九年「富士見L文庫5周年フェア」

あとがき

どうもこんにちは。今回は、サブタイトルに数字なし。本編終了後のまもりたちを中心に書いた、番外編となりました。

せっかくなので、一つ一つ解説していこうと思います。


【一章】まもり、思い出ハネムーンと二つのケーキ。

番外編を書くにあたって、twitter でどんな話が読みたいかアンケートを募りました。その中でぶっちぎりの一位が、この『シンガポール新婚旅行』エピソードです。お楽しみいただけたでしょうか。

シンガポール・キャロットケーキは、ネタとして面白いと思いながらも食べたことがない！　わからんものを書くことはできない！　と担当さんを拝み倒して立川《たちかわ》の『シンガポール　ホーカーズ』さんにお邪魔しに行きました。ここのキャロットケーキの味と、いくつかのレシピを組みあわせて、まもり流キャロット・ケーキとなりました。

【二章】まもり、三度目の正直餃子《ぎょうざ》でいい嫁なるか。

まもりの嫁仕事と、帰省の話。作中でコロナの扱いをどうするか迷ったのですが、番外編で時間が飛んだのをいいことに『それらしいことはあったが、一年でなんとなくおさまった』ことにしました。その間に葉二《ようじ》は在宅勤務とかはじめています。

あと、餃子の皮はほんとに中力粉だと作りやすいです。今まで薄力粉と強力粉を混ぜて作っていたのですが、今回うどん粉で練ったら伸びが違う違う。おすすめです。

【三章】湊《みなと》、立ち退きとプロポーズの気配にうろたえる。

番外編なので、ちょっと別視点があってもいいよねと。湊と周《しゅう》まわりの話です。

アパートの立ち退きに関しては、KADOKAWAさんの法務部を通じて弁護士さんの助言もいただきました。『ここの表現は〜したらどうか』など丁寧なアドバイスに感謝しつつも、「出版社の顧問弁護士ともなると色んな仕事をするものだなあ」と変に感心してしまいました。架空のアパートの火事と立ち退き案件……。

【四章】ユウキ、義理兄と京都二人飲み。

ずっと書いてみたかったんですよ、ユウキと葉二がサシ飲みする話。やっとユウキが二十歳を越えたので、解禁となりました。作中でも書いていますが、ちょくちょく二人で会って食事している設定だったのです。

二人が飲んでいる地酒については、向井酒造さん、松本酒造さんに間違いがないかなど問い合わせて、回答をいただきました。お忙しい中、ありがとうございました。

【特典ショートストーリーズ】

書店やウェブで発表した、特典小説をまとめました。時系列では初期のものが多いので、あらためて読むと「うおー、まもりが『亜潟《あがた》さん』呼びだよ。若いなあ」とこそばゆくなること請け合いです。ただ、お互いの第一印象など、本来なら本編で書くべきだったかもと思うエピソードもあるので、一冊にまとめられて良かったです。

さて。皆様のおかげで、二年後のまもりたちをお届けすることができました。
今回もこの読書が、皆様の『おいしい』時間となりますように。竹岡《たけおか》葉月《はづき》でした。

制作協力

シンガポール　ホーカーズ　代表　杉原将仁様

松本酒造株式会社　皆様

向井酒造　杜氏　向井久仁子様

お便りはこちらまで

〒一〇二—八一七七
富士見L文庫編集部　気付
竹岡葉月（様）宛
おかざきおか（様）宛

富士見L文庫

おいしいベランダ。
亜《あ》潟《がた》家《け》のアラカルト

竹《たけ》岡《おか》葉《は》月《づき》

2022年6月15日　初版発行

発行者　青柳昌行
発　行　株式会社 KADOKAWA
〒102-8177　東京都千代田区富士見2-13-3
電話　0570-002-301（ナビダイヤル）

印刷所　株式会社暁印刷
製本所　本間製本株式会社
装丁者　西村弘美

定価はカバーに表示してあります。

●お問い合わせ
https://www.kadokawa.co.jp/（「お問い合わせ」へお進みください）
※内容によっては、お答えできない場合があります。
※サポートは日本国内のみとさせていただきます。
※Japanese text only

ISBN 978-4-04-074415-5 C0193

富士見ノベル大賞
原稿募集!!
魅力的な登場人物が活躍する
エンタテインメント小説を募集中!
大人が胸はずむ小説を、
ジャンル問わずお待ちしています。
大賞 賞金100万円
入選 賞金30万円
佳作 賞金10万円
受賞作は富士見L文庫より刊行予定です。
WEBフォームにて応募受付中
応募資格はプロ・アマ不問。
募集要項・締切など詳細は
下記特設サイトよりご確認ください。
https://lbunko.kadokawa.co.jp/award/
主催 株式会社KADOKAWA